von Denica-Fremdlin
Alice

Ann Kathrin Scheerer

Sieben Chinesinnen

Gespräche über
Körper Liebe Sexualität

Ann Kathrin Scheerer

Sieben Chinesinnen

Gespräche über

Körper Liebe Sexualität

KleinVerlag

CIP-Titelaufnahme der Deutschen Bibliothek
Scheerer, Ann Kathrin:
Sieben Chinesinnen
Gespräche über Körper Liebe Sexualität/
Ann Kathrin Scheerer –
1. Aufl. – Hamburg: KleinVerlag 1993
ISBN 3-922930-08-5

Gestaltung: Christoph Krämer
Satz: KCS GmbH, Buchholz/Hamburg
Druck und Bindung: Clausen & Bosse, Leck
ISBN 3-922930-08-5

Inhalt

Ähnlich fremd

Wenn mich in letzter Zeit jemand über meine Gespräche mit chinesischen Frauen und nach ›Ergebnissen‹ befragte, »nur ganz kurz«, gab es, je nach Stimmung, zwei wahre Antworten. Hatte ich keine Lust auf eine längere Debatte, dann sagte ich: »Es geht ihnen so wie uns. Frauen haben eben auf der ganzen Welt ähnliche Konflikte, ähnliche Probleme.« Wollte ich einen interessanteren Eindruck machen, konnte ich so anfangen: »Das Ausmaß von Unglück und Leiden ist groß, gerade auch in der Sexualität. Aber das ist kein Wunder bei der Geschichte!« Manchmal wußte ich selber nicht, ob ich das Ähnliche oder das Andere bemerkenswerter fand.

Für dieses Buch wählte ich die größere Distanz und hob ›das Andere‹ hervor. Der Versuch, dieses Andere, Fremde zu verstehen, zeigte mir vor allem da, wo er schwierig wurde, viel von mir selbst, von meinen individuellen und kulturellen Prämissen. Das Ähnliche zwischen uns und den Chinesinnen werden die Leserinnen selber bemerken; und wenn nicht bei sich selber, so vielleicht im Denken einer früheren Generation oder in den sozialen und kulturellen Konventionen einer anderen gesellschaftlichen Schicht als der eigenen.

Vor sechzehn Jahren begann ich mich als Sinologie-Studentin in Peking mit der Geschichte der chinesischen Frauen zu beschäftigen. Damals galt die ›Frauenfrage‹ in Chinas politischem Verständnis als klassischer Nebenwiderspruch, der sich mit den großen ökonomischen Fragen des Landes und mit dem Voranschreiten des Sozialismus von alleine, nebenbei eben, lösen würde. Die sogenannte Große Proletarische Kulturrevolution war 1976 gerade offiziell beendet worden, und die Menschen begannen sich langsam und mißtrauisch, von der, wie wir nun wissen, Terrorherrschaft des vorangegangenen Jahrzehnts, die Millionen von Chinesinnen und Chinesen das Leben, die Freiheit, die Gesundheit und die Lebensfreude gekostet hat, zu erholen. Wir Studentinnen waren mit die ersten westlichen Ausländer, die nach langer Zeit der Verteufelung alles Westlich-Ausländischen nach China kamen. Wir und die Chinesinnen waren uns fremd. Als die chinesische Studentin, mit der ich im Wohnheim ein Zimmer teilte, mich einmal zu sich nach Hause einladen wollte – ihre Familie wohnte auch in Peking – holte sie dafür sicherheitshalber Genehmigungen vom Parteisekretär des Stadtteils und vom Parteisekretär der Universitätsabteilung ein, denn ungenehmigte Kontakte mit Ausländern wurden noch kurz zuvor als ›Spionagetätigkeit‹ gegen das eigene Volk geächtet. Die Familie, die ich besuchte, war vom Parteikomitee mit etwas Geld versorgt worden, damit die Bewirtung der Ausländerin angemessen und der Erfolg der sozialistischen Wirtschaft unter Beweis gestellt sein würde. Die Toilette im Hof, die sich mehrere Familien teilten, wurde eigens frisch gekalkt, und sämtliche Anwohner hatten Anweisung, sie für die Dauer meines Aufenthaltes nicht zu benutzen. Als ich die für diesen normalen Sonntag ungewöhnlich leere Gasse bis zur Wohnung meiner Gastgeber entlangging, guckten hinter jeder Mauer, hinter jedem Hofeingang Kindergesichter hervor. Kichern konnte ich hören und barsche zurechtweisende Töne, wenn ein Erwachsener die Kinder zurückzog. Ich war eine der damals in Pekings Gassen noch selten zu sehenden ›Langnasen‹, ein ›ausländischer Teufel‹, ein ›bürgerlich-dekadentes Element‹ aus einem kapitalistischen Land.

Als meine Zimmergenossin und ich uns besser kennengelernt und die Zeiten sich schon etwas geändert hatten, lachten wir oft über diese absurde Episode. Sie erzählte mir auch, daß sie, als man sie auswählte, mit mir zusammenzuwohnen, vor mir gewarnt worden sei: Westliche Frauen hätten einen haltlosen Lebensstil, sie würden prahlen und prassen und eventuell jeden moralischen Anstand vermissen lassen; schuldlose Produkte eines bürgerlich-kapitalistischen Gesellschaftssystems mit erheblicher Verführungskraft. Man traute ihr zu, es mit mir aufzunehmen, schließlich war sie seit Jahren aktives und treues Parteimitglied. Als wir uns zwei Jahre später verabschiedeten, meinte sie: »Du bist gar nicht so, wie man mir gesagt hat.« Offiziell hatte ich es zu dem guten Ruf gebracht, eine ›Freundin des chinesischen Volkes‹ zu sein. In Wirklichkeit war ich nur mit Xiao Lan, meiner Zimmerkollegin, gut befreundet.

Die individuelle psychische Situation chinesischer Frauen rückte in den Mittelpunkt meines Interesses, als eine Freundin und ich 1986 begannen, deutsch-chinesische Symposien für Psychotherapie in China zu organisieren. Viele Fallgeschichten weiblicher Patientinnen wurden von chinesischen und deutschen Psychiatern und Psychologen diskutiert. Einige Patientinnen stellten sich gleich persönlich vor. So kam z. B. ein junges Mädchen mit ihrer Mutter und mit ihrem behandelnden Psychiater. Die Mutter klagte, daß die Tochter, zwanzig Jahre alt, sich jeden Tag nach dem Essen übergebe, daß sie Wutanfälle habe und nicht regelmäßig zur Arbeit gehe. Der Psychiater klagte, daß das Mädchen die von ihm verschriebenen Medikamente – er hatte ›Schizophrenie‹ diagnostiziert; Magersucht oder Bulimie sind als Krankheitsbilder in China noch nicht geläufig, wenn überhaupt bekannt – nicht einnehme.

Das Mädchen selbst saß wie ein Häuflein Elend in der Ecke, weinte häufig und schrieb mir, die ich neben ihr saß und ihre Hand hielt, auf einen Zettel, daß sie den ›anwesenden ausländischen Doktoren‹ danke, und daß sie sich mit allen ihren Kräften bemühen wolle, von nun an eine gute Tochter zu sein und die in sie gesetzten Erwartungen zu erfüllen. Gleichzeitig sah sie so gar nicht aus wie eine ›gute Tochter‹, grell und ungeübt geschminkt, für chinesische Verhältnisse recht auffallend, beinahe vulgär gekleidet. Ihre fühl- und sichtbare innere Anspannung verstand ich als Ausdruck ihres Konfliktes zwischen Anpassungsdruck und Rebellion. Die innere Spannung machte sie krank, war aber gleichwohl ein Zeichen von großer unterdrückter Vitalität. Sie hatte die körperliche Kraft, die elterliche Wohnungseinrichtung zu zertrümmern, was sie hin und wieder tat, und gleichzeitig schwächte sie ihren Körper durch regelmäßiges Erbrechen. Sie wirkte deprimiert und rebellisch zugleich. Ich war beeindruckt von ihr und fragte mich, wieviel Zeit und Kraft ihr wohl noch blieben, bis Familie und Gesellschaft über ihren Entwicklungswillen und ihr Autonomiebedürfnis gesiegt haben würden.

Inzwischen hatte ich beschlossen, meine anstehende psychologische Diplomarbeit über innerpsychische Konflikte chinesischer Frauen zu schreiben. Ich wollte etwas erfahren über das Verhältnis zu ihrem Körper, über Vorstellungen und Erleben von Liebe und Sexualität; hier, dachte ich, müßten angesichts der Geschichte und Politik des Landes das individuelle mit dem gesellschaftlichen Leben am heftigsten kollidieren. Einige der Gespräche, die ich für die Diplomarbeit in China führte, sind Grundlage dieses Buches.

Als ich im Mai 1991 nach Peking fuhr, um mit möglichst vielen Chinesinnen über diese Themen zu reden, war ich vor Aufregung krank. Ich hatte das Gefühl, ich hätte mir zuviel und zuwenig zugleich vorgenommen. Es gab schließlich etwa 400 Millionen erwachsene Frauen in China, und ich rechnete damit, vielleicht fünfzehn von ihnen sprechen zu können; und ich wußte nicht mehr, was im Himmel mich eigentlich bewog, ein heikles Thema in einer fremden Kultur mit einer Methode zu erforschen, bei der viel von mir selbst und meiner Fähigkeit zur Kontaktaufnahme und Resonanz abhängen würde. Ich wußte natürlich von den Tabus, die konventionell das Thema Körper und Sexualität schwierig machen, und fürchtete die relativ nichtssagende Floskelhaftigkeit, wie ich sie aus vielen früheren Gesprächen in China kannte.

Um es vorweg zu nehmen: Ich hätte vermutlich wochenlang, monatelang, jahrelang weitere Gespräche mit Chinesinnen führen können. Viele waren bereit für ein Gespräch trotz des schwierigen Themas und viele, so denke ich, hatten es sogar bitter nötig. Fast alle bestätigten, daß sie zum ersten Mal über ›solche Dinge‹ gesprochen haben, daß sie zum ersten Mal überhaupt gefragt worden seien und auf diese Weise ihr Leben einmal im Zusammenhang betrachtet haben. Vielleicht erklärt das den teilweise überwältigenden Redefluß, das große Mitteilungsbedürfnis, das häufig mit großen inneren Erschütterungen einherging. Womit ich wohl am wenigsten gerechnet hatte, war die uneitle Ehrlichkeit und Offenheit der Kommunikation über private Themen.

Vielleicht erleichterte gerade die Tatsache, daß ich eine Ausländerin war, es meinen Gesprächspartnerinnen, ihr wachsendes und teilweise scharfes Bewußtsein davon, daß es ihnen derzeit nicht besonders gut geht, mit mir zu teilen. Und natürlich wußte ich einiges über die Geschichte chinesischer Frauen, die jahrhundertelange maßlose Unterdrückung, die beispiellose körperliche Drangsalierung, die soziale Isolierung; über den Kampf um einen besseren Status seit den zwanziger Jahren unseres Jahrhunderts, über ihre ökonomische und soziale Emanzipation und die ideologischen und politischen Zustände der jüngsten Vergangenheit, während der ich selber zwei Jahre in China gelebt hatte.

Im Herbst 1976, wenige Tage nach dem Tod Mao Tse-tungs, war ich das erste Mal nach Peking gekommen. Ich war der festen Meinung und Hoffnung, daß wir von den chinesischen Frauen etwas zu lernen hätten. Ihr ›langer Marsch‹ vom weiblichen Leben ›schlechter als Esel und Pferd‹ im Feudalismus zur Gleichberechtigung im chinesischen Sozialismus hatte meine uneingeschränkte Bewunderung. ›Die Hälfte des Himmels‹ war damals in China ein anderes Wort für Frauen. Es gehörte zum Zitatenschatz der Mao-Tse-tung-Gedanken, daß den Frauen die Hälfte des Himmels zustehe. Der Nachsatz, daß sie sich diese Hälfte noch erobern müßten, wurde beim Zitieren meist weggelassen.

Bei uns im Westen wurde der Slogan als emanzipatorischer Leitsatz begeistert aufgegriffen; durch die ersten Bilder von Chinesinnen auf dem Hochspannungsmast, dem Baukran, vor dem Hochofen, mit der dazugehörigen Bildunterschrift ›Was Männer können, können Frauen auch‹, wurden China und seine Frauenpolitik der wegweisende Rote Stern am Horizont. Während wir langwierige Beziehungsklärungen unter emanzipatorischen Aspekten versuchten, privat und politisch, hatten die chinesischen Vorbilder kurzerhand die Hälfte der Arbeitsplätze übernommen. Die Hälfte des Himmels packte sehr irdisch mit an.

Latzhosen und lila Halstücher, Selbstgestricktes aus naturgefärbter Wolle und Gesundheitslatschen? Oder lieber Minirock, schmale Taille, enge Pullover? Schminken oder nicht schminken? Sollte man, der Frauenbewegung durchaus geschuldet, versuchen, über Sexualität, womöglich noch das eigene Erleben derselben, zu sprechen? Oder lieber den allgemein geforderten Genuß vortäuschen? Experimente mit der Promiskuität? Oder radikale Hinwendung zum gleichen Geschlecht? Oder noch radikalere Enthaltsamkeit? Ich glaube heute, daß wir damals die ›Hälfte des Himmels‹ als ideologisches Modell anstrebten – ohne natürlich jemals konkret so leben zu wollen wie chinesische Frauen –, war der entlastenden Hoffnung gedankt, es gäbe für Frauen ein Leben ohne Gefühlskonflikte, ohne die Anstrengung selbstverantworteter sexueller Freiheit, ohne gefühlsüberforderndes Angezogen- und Abgestoßenwerden durch männliches und weibliches, kurz: ohne die Schwierigkeiten der Geschlechterdifferenz und ihrer Erotik. Man könnte auch sagen, es war eine versuchsweise regressive Bewältigung pubertärer Triebkonflikte; eine Auszeit von der Verantwortung individuellen Erwachsenwerdens und das auch noch unter der roten Fahne des Fortschritts. Eine schöne Zeit.

Mit Anfang zwanzig in China hatte man weder modische noch sexualpolitische Probleme. Ich kaufte mir bald einen blauen Mao-Anzug, mit Mütze versteht sich, und schwarze Stoffschuhe. Für kalte Tage wurde uns von der Universität in einer kollektiven Aktion im Kaufhaus jeweils ein wattierter langer blauer Mantel verpaßt. Mode war keine Frage des Geschmacks, sondern des Klimas, auch des politischen. Ich erinnere mich, wie meine chinesische Zimmergenossin eines Tages von einem Einkauf zurückkam und aus ihrer olivgrünen Umhängetasche zwei Aufsteckkragen fingerte. Vor dem Spiegel am Schrank probierte sie beide an; der dunkle klein-karierte passierte die Kontrolle durch die anwesenden Kommilitoninnen; der hellgelb sanft gemusterte fiel durch. »Der ist wohl doch zu gewagt«, sagte sie, und er verschwand auf Nimmerwiedersehen in der Schublade. Alle chinesischen Studentinnen hatten Zöpfe, kürzere oder längere. Auch die Lehrerinnen, wenn sie noch nicht verheiratet waren. Nach der Eheschließung wurden die Zöpfe meist abgeschnitten, dann war man kein Kind mehr.

Die männlichen Studenten mußten in einem eigenen Wohnheim leben, Männerbesuch nach 21 Uhr war rufschädigend für jede Frau. Wer tagsüber, aus unlauteren Motiven Krankheit vorschützend, den Unterricht schwänzte, bekam nachmittags Besuch vom Lehrer, der sich freundlich nach der Gesundheit erkundigte und durchaus bereit war, den versäumten Stoff in einer Privatlektion zu wiederholen. Welch ein Preis für gestohlene Intimität.

Das Leben war so leicht für eine westliche Ausländerin im China der siebziger Jahre. Es wurde rundherum für uns gesorgt, an jeder Warteschlange vorbei wurden wir nach vorne komplimentiert, in jedem noch so vollen

Restaurant wurde gewiß ein Tisch für uns frei. Wir hatten um nichts zu kämpfen, solange wir damit zufrieden waren, die ideologische Oberfläche Chinas für die Wahrheit zu nehmen. Auch das Nachdenken darüber wurde uns teilweise abgenommen, denn der obligatorische ideologische Unterricht war zwar langweilig, klang aber in unseren für Kapitalismuskritik offene Ohren gut. Die schwierigsten Probleme, Männer, Mode und Sexualität, konnte man, mußte man ausklammern. Und auf politische Vorbilder stieß man allenthalben: selbstbewußte kompetente Frauen in Führungspositionen, deren Familienstand man weder am Ehering noch am angepaßten Nachnamen ablesen konnte; unsentimentale Frauen, die sich durch Erziehungssorgen, Haus- und Beziehungsarbeit nicht von ihrer gesellschaftlichen Aufgabe abbringen ließen. Ein Film, den wir ausländischen Studenten damals vorgeführt bekamen, hieß ›Befreite Stadtfrauen‹.

Mehrere Male kam in mein Studentenzimmer eine junge Lehrerin zu Besuch, die uns in Gemeinschaftskunde unterrichtete. Sie kam zum Plaudern, wenn sie auch im Grunde schweigsam war und sehr leise sprach. Ich bekam nach und nach, wie nebensächlich, aus ihr heraus, daß sie verheiratet war und eine Tochter hatte. Später wußte ich, daß der Mann in einer anderen Stadt arbeitete, und daß die Tochter bei den Großeltern auf dem Lande lebte. Ich war beeindruckt: der Arbeitsplatz ging offenbar selbstverständlich vor, und die Luft auf dem Land tat schließlich jedem Kind gut, zumal die Großmutter gewiß mehr Zeit hatte als die berufstätige Mutter in der Stadt. Ich hatte gelernt, wie es in China geht, die Mehrfachbelastung ohne Schaden zu bewältigen. Emanzipation, Beruf und Familie, alles war zu haben, wenn Frau sich bloß von einigen konventionellen

Emotionen freimachte. Heute schäme ich mich, das alles ohne Ahnung der Sehnsüchte, Einsamkeit, Zweifel, Schuldgefühle, Aggressionen und Traurigkeit, die mit diesem zerrissenen Lebensmodell verbunden sind, geglaubt zu haben. Ich wollte es glauben. Rückblickend bin ich überzeugt, daß die Lehrerin meinte, bei uns westlich-dekadenten Frauen Gehör zu finden gerade für diese Gefühle und Konflikte. Ich hatte kein Gehör dafür, und so konnte ich mir mein idealistisches Bild von der Hälfte des Himmels erhalten: Berufsorientierte aufstrebende Frauen in distant-harmonischen Partnerschaften.

Kleine Kinder wurden von Großmüttern herumgetragen, größere Kinder gingen im Gänsemarsch an einem Seil, das vorne und hinten von einer weißbekittelten Kindergärtnerin festgehalten wurde, durch die Straßen und Parkanlagen. Ich sah selten Kinder weinen. Mir schien das System der großfamiliären, später öffentlich-kollektiven Kindererziehung einzuleuchten. Natürlich waren wir nicht zufrieden, daß bei Kindergartenvorführungen für uns ›ausländische Tanten‹ die Mädchen die Tanz- und die Jungen die Kampfspiele vorführten, es störte uns doch das geschlechtsspezifische Klischee. Wir vermuteten einigen zwangsweisen Drill dahinter, aber andererseits taten es alle geschickt und geübt mit froher Konzentration. Wir kamen insgesamt zu dem Schluß, daß Chinesen kinderlieb sind und sich Mühe mit dem Nachwuchs geben. Chinesische Mütter schienen gute Mütter zu sein, gerade auch weil sie sich früh von ihren Kindern trennen konnten.

Sie waren auch warmherzig und eigentlich wenig verklemmt. Sie saßen Hand in Hand mit der Arbeitskollegin auf den kleinen Klappstühlchen während der politischen Versammlung. Sie faßten auch uns Ausländerinnen völlig selbstverständlich beim Spaziergang an der Hand. Abends zwischen 17 und 19 Uhr, wenn es zweimal in der Woche warmes Duschwasser im Studentinnenwohnheim gab, standen wir alle nackt im Duschraum, und jede schrubbte jeder den Rücken. Ich kann mich nicht erinnern, daß andere außer mir versuchten, eine Zeit zu erwischen, wo es in der Gemeinschaftsdusche noch nicht furchtbar voll war. Gerade das Gemeinsame, das Gucken und Angegucktwerden, war vielleicht das Vergnügen am Duschen und die unter Hygieneaspekten legitimierte Form des Anfassens. Fertig geduscht und sauber war man erst, wenn der gesamte Körper krebsrot vom Abschrubben war.

Im Waschraum wurde häufig westliche Unterwäsche geklaut, BHs verschwanden von der Leine. »Das sind die Afrikanerinnen«, sagten die Chinesinnen. Im Toilettenraum, wo nebeneinander ohne Trennwände drei Porzellanbecken in den Boden gelassen waren, hockte frau sich in Gesellschaft hin; wenn es Türen und Trennwände gab, ließ man die Türen häufig offen, weil sonst das intime Gespräch erschwert war. Verdauungsprobleme, Menstruationserfahrungen wurden hier ausgetauscht. Gewisse Gewöhnung erforderte auch der Anblick des blutigen Papiers, das in die Drahtkörbe geworfen wurde (auch menschliche Exkremente wurden für Düngezwecke gesammelt und sollten von Papier möglichst freigehalten werden), aber im Laufe meiner Gespräche mit Frauen in den letzten Jahren stellte sich heraus, daß es diese optischen Eindrücke waren und sind, die den jungen Mädchen häufig als einzige Vorbereitung auf die Menstruation dienen.

Unsere Studentenzimmer waren klein, und wenn Besuch kam, mußte man auf dem Bett sitzen. Einmal sprang ein Chinese neben mir erschrocken auf, als ein deutscher Kollege fotografieren wollte: Er neben einer weiblichen, ausländischen Person auf dem Bett? Welch ein kompromittierendes Bild! Meine chinesische Zimmerkollegin schwitzte derweil in dem überwarmen Raum mit vielen Menschen, und als alle weg waren, zog sie seufzend Jacke und Pullover aus, was sie in Anwesenheit von Männern nie gewagt hätte.

Es gab viele Verhaltensregeln und Tabus und man tat – ausländisch oder chinesisch – gut daran, sie zu respektieren, wenn man einen passablen Ruf genießen wollte; wer es nicht schaffte, heftige Emotionen zu verbergen, hatte das Gesicht verloren; an den adäquaten Umgang mit Gefühlen wurden die laut Sprichwort stets lächelnden Chinesen damals immer mal wieder mittels einer politischen Kampagne für höflicheren, also beherrschteren Umgang miteinander erinnert. Direkte Gefühlsäußerungen gehörten nicht in die Öffentlichkeit, sie gehörten im Grunde gar nicht nach außen vermittelt. Für Studentinnen und Studenten war das Verliebtsein verboten, weil es den Lerneifer beeinträchtigt hätte, also war es richtig und wichtig, keinen Freund oder Liebhaber zu haben. Viele hatten natürlich trotzdem einen, aber es war in jener politisch-moralisch rigiden Zeit so gut wie unmöglich, auf solche Fragen, wie auch auf viele andere, eine klare Antwort zu bekommen.

Schon weniges konnte mißverstanden und als eindeutige Andeutung des verpönten Lebensstils skandalisiert werden, wie ein zu bunter Aufsteckkragen, offene lange Haare in der Öffentlichkeit, ein oder gar mehrere Treffen mit einem Mann ohne Begleitung. Konventionen sicherten das öffentliche Betragen weiterhin ab: Wer sich alleine mit einem Mann traf, galt als verlobt. Ein Foto von einem Mann mit einer Frau war definitionsgemäß ein Hochzeitsfoto.

Mann und Frau hatten sich in der Öffentlichkeit nicht anzufassen, und über Sexualität wurde nicht gesprochen. In den wenigen Filmen, die die Kulturzensur der Mao-Witwe Tschiang Tsching für die Kinos und das Fernsehen geeignet fand, sah man niemals einen Kuß. In den noch wenigeren westlichen Filmen waren die Küsse geschnitten. Statt dessen sah man sich halt öfter mal an, wie man ›mit taktischem Geschick den Tigerberg erobert‹, oder auch das ›Rote Frauenbataillon‹, ein Film über die Hälfte des Himmels im Partisanen-Krieg. Man hörte, daß ein Mädchen verhaftet worden war, das einem Maler nackt Modell gestanden hatte.

Im Peking-Hotel wurde das große Wandbild, auf dem eine stilisierte nackte Person zu sehen war, nach vierzehn Tagen mit schönster chinesischer Seide wieder keusch verhüllt. Der Parteisekretär hatte den Geschäftsführer zurückgepfiffen. Auf der Straße sah man damals niemals Liebespaare, aber abends lagen vor den Büschen am Straßenrand oder in den Parks viele Fahrräder. Und viele junge Leute reagierten unwillig und enttäuscht auf den Erlaß der Pekinger Stadtregierung, die nach dem großen Erdbeben 1976 am Straßenrand aus Backsteinen, Holz und Plastikplanen errichteten ›Erdbebenhütten‹ wieder abzubauen. So wie unter der blauen und grauen Einheitskleidung manche Chinesin ihre prächtige Seidenjacke trug, wurde eben im Verborgenen doch ›über Liebesgefühle geredet‹. Ich hatte in China niemals Bedenken, als Frau alleine die nächtlichen Straßen zu durchqueren. Das Schlimmste, was einem passieren konnte, war die höfliche Anfrage eines jungen Mannes: »Hello, how are you? May I practice my English?«

Zehn Jahre später, 1987, auf einer Reise in den Süden des Landes, rief mir ein junger Mann im Vorbeiradeln zu »Hello, do you want to sit on my knee?«, und ich wußte, daß sich etwas verändert hatte. Etwas später sah ich eine hübsche Pagode, die am Ende eines längeren Steges, der in einen See hineinragte, stand. Viele Menschen strömten dorthin, so auch ich. In der Pagode drängelten sich ausschließlich Männer, wie ich nun feststellte, die die besten Stehplätze weiter vorne anstrebten. Und als ich dahin guckte, wo alle wie gebannt hinstarrten, sah ich auf einer riesigen Leinwand männliche und weibliche Geschlechtsorgane in Großaufnahme, offensichtlich von schlimmen Krankheiten befallen. Ich machte, daß ich wegkam. Es handelte sich, wie ich später erfuhr, um eine Aufklärungskampagne über ansteckende Geschlechtskrankheiten, die das Gesundheitsministerium initiiert hatte. Auch am nächsten Tag strömten die Besucher über den Steg in die Pagode, und ein Chinese bestätigte meine Vermutung, daß die Neugier von einem viel elementareren Aufklärungsbedürfnis genährt wurde. Inzwischen gibt es trotz schwerer Strafandrohung einen florierenden Schwarzmarkt für illegal eingeschmuggelte Pornographie, dem ebenfalls die allgemein mangelnden Informationsmöglichkeiten in Sachen Sexualität zugute kommen.

Es fehlt in China in der Tat an Aufklärungsliteratur, an Aufklärungsunterricht für Jugendliche wie für Erwachsene. Unkenntnis und Frustration sind weitverbreitet, heißt es 1991 in einem ersten auf der Auswertung von 23 000 Fragebögen basierenden Buch über ›Sexuelles Verhalten im heutigen China‹ von Shanghais Sexualwissenschaftler Liu Dalin. Die Frauen sind unzufrieden mit ihren Männern und deren ewig gleichem Ruckzuck-Verfahren. Weibliche Lust spielt keine Rolle, Orgasmus ist meist unbekannt, Selbstbefriedigung gilt weithin als schädlich und falsch. Bei all dem lohnt es kaum, die Kleider abzulegen, worauf ein Großteil der Liebenden dann auch verzichtet. Neben einem offenbaren Mangel an sexuellem Einfühlungsvermögen und Kenntnissen über mögliche Sexualpraktiken auf männlicher Seite, erbrachte die Untersuchung, daß für 44,7 Prozent der Städterinnen der Geschlechtsverkehr ›oft oder manchmal‹ schmerzhaft ist, und daß knapp ein Drittel der befragten Frauen von ihren Ehemännern zuweilen vergewaltigt wird. Ein Fünftel der städtischen Frauen hat laut Antwortbögen schon einmal einen Orgasmus erlebt. Die Umfrage erbrachte aber auch gerade bei den Frauen, daß sie zu mehr als 50 Prozent ab und zu in der ehelichen Sexualität initiativ werden, woraus der Autor schließt, daß die chinesischen Frauen sich in diesem Bereich weiterentwickeln; im Gegensatz zu den staatlichen Behörden, die diese Untersuchung erheblich behinderten.

Als ich gegen Ende meines diesmaligen Aufenthaltes in Peking mit einigen chinesischen Frauen zusammensaß, die nun ihrerseits mich über das befragten, was ich von ihnen zuvor hatte wissen wollen, kamen wir auf Masturbation zu sprechen. Wir hatten wie in einem Selbsterfahrungsseminar der siebziger Jahre bereits Benennung und Funktionen des weiblichen Genitals durchgenommen, wobei es am Rande einen Disput darüber gab, wie Klitoris auf chinesisch heißt; da gab es anatomische Verwechslungen, und nun also dies: Wie man das mache? Die Chinesin neben mir schrieb eifrig mit, und schließlich sagte sie: »Gut, ich habe jetzt verstanden, *wie* man das macht. Noch eine Frage ... *warum* macht man das?«

Das Nicht-Wissen erreicht, nicht nur in dieser Frage, uns verblüffende Ausmaße. Eine chinesische Untersuchung von 1988, bei der 100 Fälle von weiblicher ›sexueller Kriminalität‹ betrachtet wurden, durchgeführt von der Kantoner ›Arbeitsschule‹ für jugendliche Prostituierte, ergab, daß 67 der 100 Mädchen und jungen Frauen keine physiologischen Kenntnisse über den weiblichen und den männlichen Körper hatten; daß 70 von ihnen ›nicht wußten, an welcher Stelle des weiblichen Körpers ein Baby aufwächst‹, die Hälfte hatte ›keine Ahnung wo bzw. wie ein Baby geboren wird‹. Von den befragten 100 Frauen waren 11 Absolventinnen der Oberen Mittelschule; 54 Mittelschul- und 35 Grundschulabsolventinnen. Zur ›sexuellen Kriminalität‹ gehören in China außer- und unehelicher Geschlechtsverkehr und Prostitution. Als Strafe kann es zu einer Verurteilung zu Zwangsarbeit im Arbeitslager kommen, zum Aufenthalt in einer Umerziehungsschule; es können auch einfach durch zwangsweisen Arbeitsplatzwechsel die illegitimen Beziehungen zerstört werden.

Das Aufrechterhalten von Unkenntnis zusammen mit moralischem Abscheu befördert auch das Interesse des ordnenden und überwachenden Staates, die persönlichsten Aspekte des Lebens für seine politischen Zwecke zu instrumentalisieren. Denunziantentum im Zusammenhang mit Sexualität ist weitverbreitet und einer der Pfeiler, mit dem die Gesellschaft ihre moralischen Normen abstützt. »Sie sind schnell dabei, mit anklagendem Finger auf andere zu zeigen, wenn sie argwöhnen, daß ein Mann und eine Frau eine Affaire haben. Sie wollen andere kontrollieren, andere von Sex abhalten, während sie selber heimlich masturbieren«, vermutet der Hongkonger Autor Sun Longji in seinem Buch über die

›Tiefenstruktur der chinesischen Gesellschaft‹ über seine Landsleute. Die Strafbarkeit sexueller Vergehen trägt natürlich zur Lust an der Denunziation bei.

Für die Frauen gilt, heißt es an anderer Stelle, daß ›Frigidität als Krankheitsbild‹ kaum auszumachen sei, weil sie sowieso glaubten, keine sexuellen Regungen haben zu dürfen. Doch viele Frauen lassen sich heute scheiden, und die Mitarbeiterinnen der einzigen psychologischen Beratungsstelle in Peking, die ich am Tag meiner Ankunft im Mai 1991 nach ihrer Meinung zu meinem Gesprächs-Vorhaben befragte, vermuteten, daß dabei sehr häufig sexuelle Probleme eine Rolle spielen. Sexualität sei, so eine Beraterin, für viele Frauen ›ein Leid‹, das sie aber nicht näher spezifizieren mochte; sie würden sich bei ihren Beratungsgesprächen eher auf die gravierenderen Probleme konzentrieren wie Depression, Selbstmordgedanken, eheliche Untreue. Die Leiden am Sexualleben träten nicht nach außen und würden daher auch nicht besprochen. »Es ist nicht das wichtigste für uns«, sagte sie, »und man spricht nicht gerne darüber.«

An dieser Stelle meiner Vorbereitungen auf die Gespräche mit Chinesinnen wurde ich kurzfristig mutlos. Die Vorbehalte der professionellen Lebensberaterinnen hatten mich beinahe eingeschüchtert, ich meinte in ihren Äußerungen Kritik an meinem Vorhaben herauszuhören: Sie hielten meine Fragen nicht für wichtig bzw. die Antworten nicht für erheblich. Ich meinte zu spüren, daß sie mich doch als eine dekadente bourgoise Fremde sahen, die sich nur für Unanständiges interessierte statt für die greifbaren wahren Probleme der Ratsuchenden. Kurz hatte ich den Wunsch, oder sollte ich lieber sagen: den Rachegedanken, diese Beraterinnen zu meinen ersten Gesprächspartnerinnen zu machen.

Ich ging erst einmal essen. Das Restaurant war gut besucht, und ich mußte, anders als früher, eine Weile warten. Schließlich wurde ich an einen Tisch geführt, wo ich mich neben ein junges Paar setzen durfte, das zwischen den Stäbchenbissen glücklich verliebt kicherte und tuschelte. Der ganze Tisch war von ihren vielen Tellern und Schüsseln voll. Abgeknabberte Hühnerknochen und Schweinsrippchen lagen drumherum, einiges auch auf dem Fußboden. Auch das ungehemmte Schlürfen und Schmatzen erhöhte ganz offensichtlich den Genuß am Essen. Es war laut im Lokal, und ich stellte wieder einmal fest, daß ich eigentlich nur beim Essen Chinesen und Chinesinnen lauthals lachen hörte. Die Tische waren teilweise durch Paravents voneinander abgeschirmt, so daß ich andere als meine direkten Tischnachbarn nicht sehen konnte. Essenden wird in China offenbar gewisse Intimität zugebilligt, aber andererseits hatte der Kellner das verliebte Paar gewiß nicht gefragt, ob ich mich dazusetzen dürfe.

Der Autor Sun Longji, der generell eine prä-genitale Fixierung der chinesischen Gesellschaft diagnostiziert, verweist auf die Oralität der Chinesen. Der Großteil der Lebenswelt werde mit dem Mund in Verbindung gebracht. Essen, die Befriedigung des eigenen Mundes, sei das vorrangige Ziel, dem als Quelle höchster Freude auch die Sexualität metaphorisch untergeordnet werde, die nur in Begriffen der Nahrungsaufnahme, nämlich gesundheitsschädlich oder nicht, verstanden werde. Gewohnt und bedürftig, ›an den Brüsten des Kollektivs genährt zu werden‹, hätte der chinesische Mensch ›Körper und Seele der Autorität anvertraut, die ihn ernährt‹.

Die asexuelle Ehe, die affektlose Paarbeziehung ist die Folge dieser ewigen Kindlichkeit und der Vermeidung, eine erwachsene genitale Sexualität zu entwickeln. Beschäftigung mit Fragen der Sexualität wird in China darüber hinaus für ›schmutzig‹ und ›niedrig‹, ›schändlich‹ und ›unmoralisch‹ gehalten. Die Aufklärung über Körperfunktionen allgemein und sexuelle Funktionen im besonderen wird dadurch erschwert. Die Identifikation von Sexualität mit Schmutz, die ›Verwechselung der Sexualorgane mit den Ausscheidungsorganen‹, wie Sun Longji schreibt, befördert die naive Unkenntnis, das aktive Nicht-Befassen mit sexuellen Fragen. Diese Tendenz, alles Sexuelle für schmutzig und verdorben zu halten, versteht er als Ausdruck der prä-genitalen, hier der analen Fixierung der Gesellschaft, die ebenfalls im Widerstreit liegt mit der Genitalität des Erwachsenenalters.

Das Kind meiner chinesischen Freundin erledigte bis zum Alter von vielleicht zwei oder zweieinhalb Jahren alle seine dringenden Geschäfte unter dem Eßtisch. Dafür hatte er diesen berühmten Rundum-Schlitz in seinen praktischen chinesischen Kinderhosen. Als lebten sie mit einem jungen Hund, waren die Eltern stets blitzschnell mit dem Lappen zur Hand. Ohne Erziehungsdruck, so schien mir, warteten sie auf diese Weise ab, bis der Sohn alt genug wurde, um geschlossene Hosen zu tragen. Ich frage mich, wie sie dieses Problem bei einer Tochter gelöst hätten, denn die Erziehung eines Mädchens war traditionell eine Abfolge von körperlicher und seelischer Drangsalierung.

Eigene Füße

Während die Geburt eines männlichen Nachkommens gefeiert und der glücklichen Sohnesmutter gedankt wurde, war der Lebensbeginn eines Mädchens von der Enttäuschung der Familie überschattet. Die Mutter traf der Vorwurf des Versagens, und sie selbst mag noch am unglücklichsten über das falsche Geschlecht ihres Kindes gewesen sein, weil dadurch auch ihr eigener Status in der Familie bedroht war. Weibliche Säuglinge wurden häufig gleich nach der Geburt von der Hebamme, von der Großmutter oder vom Vater in einem bereitstehenden Wassereimer ertränkt. Auch heute noch, und seit die amtliche Geburtenpolitik mehr als ein Kind für Ehepaare nur mit Ausnahmegenehmigung zuläßt, erst recht wieder, werden unerwünschte weibliche Säuglinge getötet, ausgesetzt oder zur Adoption freigegeben. Traditionell war nur der Sohn befugt, den Ahnenkult auszuüben, von dessen angemessener Durchführung Wohl und Wehe der Familie abhing.

Der Sohn erbte den materiellen Familienbesitz und brachte mit der Eheschließung eine weitere Arbeitskraft ins Haus, wohingegen eine Tochter an die Schwiegereltern verlorenging, und außer dem Brautpreis, den der Vater für sie erhielt, verursachte sie bis dahin nur Kosten. Die günstige Verheiratung der Tochter war die einzige Möglichkeit, ihrem Dasein einen positiven Sinn zu geben. Damit durch die Verkupplung vielleicht sogar ein sozialer Aufstieg erreicht werden konnte, mußte sie einigen Schönheits-und Verhaltensidealen möglichst nahe kommen.

Neben der Einhaltung unbedingten Gehorsams den Eltern, Schwiegereltern und dem Ehemann gegenüber und einer beruhigenden Bildungslosigkeit, war die Beschaffenheit ihrer Füße ausschlaggebend für eine vorteilhafte Verheiratung. Durch gewaltsame Verkrüppelung künstlich auf wenige Zentimeter Größe gehaltene Füße, die dann in zierliche Pantöffelchen gesteckt werden konnten, waren das Ideal aller Tugend und Schönheit. Zugleich war das Füßebinden natürlich eine konsequente Maßnahme, um die Bewegungsfreiheit einzuschränken und dadurch die Einhaltung einiger Anstandsregeln zu gewährleisten, zum Beispiel der Regel, daß Frauen das Haus niemals ohne Begleitung verlassen durften, was ihnen mit stets schmerzenden Füßen und unsicherem Gang eh schwergefallen wäre. In dem Buch von Howard Levy über diese ›kuriose erotische Sitte‹, so sein euphemistischer Titel, finden wir eine eindrückliche Schilderung des Füßebindens:

»Ich wurde in eine konservative Familie in Pingxi hineingeboren und erlebte die Schmerzen des Füßebindens im Alter von sieben Jahren. Ich war ein lebhaftes Kind, das gerne herumsprang, aber von jenem Zeitpunkt an verlor sich mein freies und optimistisches Wesen. Meine ältere Schwester hatte diese Prozedur im Alter von sechs bis acht Jahren erlitten. Im ersten Monat meines siebten Lebensjahres wurden meine Ohrläppchen durchstoßen und mit goldenen Ohrringen behängt. Man sagte mir, daß ein Mädchen zweimal leiden müsse, einmal beim Ohrlöchermachen, ein zweites Mal beim Füßebinden. Das Binden begann im zweiten Monat; meine Mutter ließ sich von Wahrsagern beraten, um einen günstigen Tag dafür zu bestimmen.

Ich weinte und versteckte mich im Haus der Nachbarn, aber Mutter fand mich, schimpfte und zog mich nach Hause. Sie schloß die Schlafzimmertür, kochte Wasser und holte aus einer Kiste Binden, Schuhe, Messer, Nadel und Faden. Ich bettelte um nur einen Tag Aufschub, aber Mutter lehnte ab: ›Heute ist ein Glückstag‹, sagte sie, ›Wenn ich sie heute binde, werden sie nicht weh tun; morgen würden sie aber weh tun.‹ Sie wusch meine Füße, rieb sie mit Puder ein und schnitt die Zehennägel. Dann bog sie meine Zehen gegen die Fußsohle mithilfe eines drei Meter langen und drei Zentimeter breiten Stück Stoffs, erst den rechten Fuß, dann den linken. Als sie mit dem Binden fertig war, forderte sie mich auf zu gehen, aber die Schmerzen waren unerträglich für mich.

Meine Mutter verbot mir die ganze Nacht, die kleinen Schuhe zu entfernen. Meine Füße fühlten sich an, als würden sie brennen, und ich konnte nicht schlafen; wenn ich weinte, schlug Mutter mich. In den nächsten Tagen versuchte ich, mich zu verstecken, aber ich wurde immer gezwungen herumzugehen. Meine Mutter schlug mich auf Hände und Füße, wenn ich mich weigern wollte. Schläge und Flüche prasselten auf mich nieder, wenn ich einmal heimlich die Binden lockerte. Nach drei oder vier Tagen wurden die Füße gewaschen und neu gebunden, mit neuem Puder. Nach mehreren Monaten waren alle Zehen außer dem großen gegen die Fußsohle gepreßt. Immer wenn ich Fisch aß oder sehr frisches Fleisch, schwollen meine Füße an, und Eiter tropfte heraus.

Mutter kritisierte mich, wenn ich beim Gehen

zuviel Gewicht auf die Fersen verlagerte und sagte, daß meine Füße nie eine hübsche Form bekommen würden. Mutter nahm hin und wieder die Binden ab und entfernte Blut und Eiter. Sie sagte, daß nur wenn genügend Fleisch von meinen Füßen abfiel, sie hübsch schmal werden könnten. Wenn ich aus Versehen eine Blase aufstieß, schoß das Blut in Strömen heraus. Meine noch irgendwie fleischigen großen Zehen wurden mit kleineren Stoffbahnen gebunden und nach oben gezwungen, damit der Fuß die Form eines Neumondes annahm.

Alle zwei Wochen mußte ich die Schuhe wechseln. Jedes neue Paar war zwei bis drei Millimeter kleiner als das alte. Die Schuhe gaben nicht nach, und es kostete viel Druck und Anstrengung, sie überzuziehen. Obgleich ich am liebsten ganz still auf dem Bett sitzen wollte, zwang Mutter mich zur Bewegung. Nachdem ich mehr als zehn Paar Schuhe getragen hatte, waren meine Füße auf die Größe von etwa sechs Zentimetern verkleinert. Ich hatte seit einem Monat gebundene Füße, als meine kleine Schwester drankam; wenn niemand da war, weinten wir gemeinsam.

Im Sommer stanken meine Füße aufdringlich nach Blut und Eiter; im Winter waren sie eiskalt, weil das Blut nicht zirkulieren konnte, und sie schmerzten sehr, wenn ich zu nah ans Feuer kam. Vier der Zehen an jedem Fuß waren so eingedreht wie tote Raupen; niemand Fremdes würde jemals geglaubt haben, daß sie zu einem menschlichen Wesen gehörten. Es brauchte zwei Jahre, um das Viereinhalb-Zentimeter-Modell zu erreichen. Meine Zehennägel schnitten wie dünnes Papier in die Fußsohlen. Die sehr faltige Fußsohle konnte nicht gekratzt werden, wenn sie juckte, nicht gestreichelt, wenn sie schmerzte. Meine Waden waren dürr, meine Füße wurden klumpig, häßlich und stinkend; wie ich Menschen mit natürlichen Füßen beneidete!«

In vielen anderen Berichten von Betroffenen wird darauf hingewiesen, daß die Fußknochen vor dem ersten Binden gebrochen werden mußten, und daß daher viele Mütter oder eine andere weibliche Verwandte, die für das Füßebinden zuständig war, einen früheren Zeitpunkt dafür bevorzugten. So wurden der Großmutter von Jung Chang, der Autorin von ›Wilde Schwäne. Die Geschichte einer Familie‹, im Jahre 1912 die Füße gebunden, als sie gerade drei Jahre alt geworden war: »Ihre Mutter hatte zuerst ein Stoffband von sechs Metern Länge so um ihre Füße gewickelt, daß alle vier kleinen Zehen in Richtung Ballen zeigten. Dann legte sie einen großen Stein auf ihre Füße und zerschmetterte den Fußrücken.« Als das Kind schrie, stopfte ihm die Mutter ein Tuch in den Mund. Das Mädchen verlor mehrere Male das Bewußtsein, und ihre Füße schmerzten ununterbrochen Zeit ihres Lebens, bis sie starb.

Was für das kleine Mädchen eine stete Quelle der Qual, ein wesensverändernder Vorgang und dramatischer Vertrauensbruch im Verhältnis zwischen Mutter und Tochter war, wurde für die männliche Welt ein anziehendes Geheimnis, Inbegriff von Intimität, Anmut und Erotik. Die junge Frau mit viereinhalb Zentimeter kleinen Füßen in Form einer Mondsichel hatte ein Schönheitsideal erreicht, das mit bestimmten Wesenszügen gleichgesetzt wurde. Sehr kleine Füße symbolisierten für den Mann Unterwürfigkeit und Duldsamkeit, Schweigsamkeit und Häuslichkeit.

Die erotische Anziehungskraft vermittelte sich zum Teil aus diesen angenommenen Tugenden, auch über den für anmutig geltenden Trippelschritt. Und die kunstvoll bestickten winzigen Schuhe, die niemals in Anwesenheit eines Mannes, erst recht nicht während des Liebesaktes, ausgezogen wurden, symbolisierten ein intimes Geheimnis und waren ein ihn anregendes Spielzeug. Das neugierige, triebhafte, lustvolle Interesse, das den Genitalien, die mit Schmutz und Verderben assoziiert wurden, nicht direkt entgegengebracht werden durfte, verschob sich auf einen noch tiefer sitzenden Körperteil, der nun tatsächlich beides war: vollkommen schön und stinkend schmutzig.

Westliche Forscher, Ärzte, die in China arbeiteten, konnten sich seinerzeit diese sexuelle Anziehungskraft der kleinen Füße auf chinesische Männer nicht anders erklären, als daß durch das unterbundene Wachstum der Extremitäten womöglich auch die inneren Organe, also auch die Vagina, im Wachsen behindert würden und klein blieben. Sie wollten eine direkte Verbindung herstellen zwischen den körperlichen Folgen verkrüppelter Füße und dem sexuellen Lustgewinn für den Mann, dem so glaubten die westlichen Männer, offenbar die Illusion der ewigen Jungfräulichkeit erhalten bleiben sollte.

Das Schönheitsideal der kleinen Füße, dessen Ursprung im 10. Jahrhundert n. Chr. liegt und das seine Karriere recht harmlos mit der Vorliebe des Kaisers Li Yu der Südlichen Tang Dynastie für eine Tänzerin mit fein bandagierten Füßen begann, nahm seinen Weg vom Kaiserhof bis hinunter in die ärmeren Bevölkerungsschichten. Kleine kranke Füße wurden ein normaler Teil der weiblichen Physiognomie. Das Ritual des Füßebindens war im Laufe der Zeit so selbstverständlich geworden, daß die reformerischen Bemühungen um die Zeit der letzten Jahrhundertwende, diese Sitte abzuschaffen, am Widerstand der Frauen selbst scheiterten, die damit einen verinnerlichten Wertmaßstab ihrer selbst und ihre Anziehungskraft auf die männliche Welt zu verlieren fürchteten. Mondsichelfüße wurden ein Symbol für eine ganze Kultur, Sozialstruktur und Geschlechterhierarchie der gesamten Gesellschaft kamen in dieser Verkrüppelung zum Ausdruck. Erst mit der Gründung der Volksrepublik China 1949 wurde ein schon länger bestehendes Verbot dieses Brauches auch durchgesetzt.

Für eine erfolgversprechende Ehe oder den Aufstieg in ein Konkubinat bei einem wohlhabenden Mann war der Verlust gesunder Füße jahrhundertelang unabdingbar. Er bedeutete für das Mädchen den qualvollen Verlust der Souveränität über ihren Körper, Verzicht auf Bewegungsfreude, Standfestigkeit und kraftvolles Ausschreiten. Fortan sollte und konnte sie die inneren Frauengemächer des Familienhofes nicht mehr verlassen, so wie es im ›Buch der Riten‹, einem konfuzianischen Klassiker aus dem 2. Jahrhundert v. Chr., heißt: »Sind Mädchen zehn Jahre alt, verlassen sie die inneren Gemächer überhaupt nicht mehr.« Die Ehe wurde ohne Mitsprache der Braut von den Eltern arrangiert, und in der Regel sahen sich Braut und Bräutigam vor der Hochzeit überhaupt nicht. Auch während der Ehe sollten Treffen möglichst selten stattfinden.

Kaum waren Mädchen durch die gebundenen Füße als sexuelle Wesen erkennbar gemacht, wurden sie aus der Öffentlichkeit verbannt. Ban Zhao, Verfasserin eines chinesischen Frauenlehrbuches im 1. Jahrhundert unserer Zeit, führt die Begründung an: »Gute Beziehung zwischen Eheleuten bedeutet, sich das ganze Leben lang nicht zu trennen. Sind sie aber im Haus immer umeinander herum, wird es erst zu Zudringlichkeit und Besudelung kommen, dann zu ungehöriger Rede und schließlich zu Zügellosigkeit. Ist es aber soweit gekommen, wird die Frau ihren Mann geringschätzen. Schuld daran ist, daß sie sich nicht zu beschränken weiß.« Die Anwesenheit der Frau wurde offenbar als ständiges Zitat von Sexualität verstanden, als die gefürchtete Verführung in Person.

Dem Durchbruch der Triebe – Emotionen gehören nicht in die Öffentlichkeit! – wurde durch sittlichen Abstand zwischen Mann und Frau vorgebeugt: »Sie benutzen Handtuch, Kamm, Kleiderständer, Kasten, Truhen, Bettzeug und Badestube nicht gemeinsam, ehe sie nicht wenigstens das siebzigste Lebensjahr erreicht haben. Gegenstände reichen sie sich nicht von Hand zu Hand, sondern entweder in einem Korb oder indem sie sie voreinander auf den Boden legen. Der Mann betritt nur nachts die Frauengemächer.« So steht es im Buch der Riten und damit war das Problem im Grunde erledigt. Männer und Frauen dürfen sich nicht anfassen. Und wenn, dann nur nachts. Jede Berührung wurde als sexueller Kontakt definiert und damit tabuisiert. Von nun an mußte Körperkontakt, weil dem Sexualleben zugerechnet, selbst in Andeutungen vor Beobachtern verborgen bleiben.

Die Warnung vor Zügellosigkeit, der die Erlaubnis zu alltäglichem Kontakt der Geschlechter womöglich Vorschub leisten könnte, wirft ein Licht auf die beängstigenden Wirkungen, die dem weiblichen Körper in der konfuzianischen Sittenlehre zugesprochen werden. Verführung durch bedrohliche Weiblichkeit könnte zu einem Ungleichgewicht der männlichen und weiblichen Naturkräfte Yin und Yang führen, und dieses Ungleichgewicht kann, dem mythologischen Glauben nach, den Tod des Mannes bewirken. Die heute noch in Südchina auftretende phobische Krankheit Koro, die schon ca. 200 v. Chr. in China beschrieben wurde, und bei der Männer von der Angstvorstellung gepeinigt werden, ihr Penis könnte nach Verführung durch eine Frau so sehr schrumpfen, daß er sich vollständig in den Körper zurückzieht und sie daran sterben müßten, ist symptomatisch für die mit Kastrationsängsten verbundene Furcht vor dem zur Einverleibung verführenden weiblichen Geschlecht.

Eine andere Tradition, die taoistische Lehre, würdigt, etwas angstfreier, Rolle und Bedürfnis der Frau in der Sexualität als lebenserhaltend und lebensspendend über die biologische Fortpflanzungsfunktion hinaus und spricht der weiblichen Lust eine Art mythischer Wirkung auf die Lebensgeister des Mannes zu. Da die Taoisten Wert darauf legen, im Einklang mit der Natur zu leben, wurde auch das Geschlechtsleben angenommenen Naturgesetzen unterworfen. Taoisten glauben, daß der Mann während des Beischlafes kräftestärkende Yin-Essenzen aus der Vagina der Frau aufnimmt.

Je länger der Penis sich in der Vagina aufhält, desto länger hat er folglich Gelegenheit, diese lebenswichtigen Flüssigkeiten zu absorbieren. Da sexuelle Lust und Befriedigung der Frau besonders viel der Yin-Essenzen hervorbringen, ist es für den Taoisten wichtig sicherzustellen, daß auch die Frau den Koitus will und mit einem Orgasmus beendet. Das weibliche Yin stärkt also das männliche Yang. Die chinesischen Herrscher, bis einschließlich Mao, wußten sich diese Weisheit zunutze zu machen, indem sie sich immer mit schönen Jungfrauen umgaben, die auf die empfohlene Weise das Herrscherleben verlängern sollten.

Insgesamt aber kommen weder Taoisten noch Konfuzianer ohne Warnungen vor den verheerenden Auswirkungen der ungebremsten ›Naturtriebe‹ und vor der Unzuverlässigkeit und Bedrohlichkeit von Emotionen aus. Das Kontrollbedürfnis war für beide Schulen enorm, alle waren, sobald ihre Anhänger auch Herrscherfunktionen übernahmen, strikte Gegner aller Gefühlsäußerungen. So wurde Sexualität in China zum Gegenstand einer Serie strenger Erlasse und Verordnungen. Kontrolle der Triebe wurde die Basis aller sozialen, politischen und ökonomischen Ordnung. Die Ablehnung und Verachtung für alles vermeintlich Irrationale kommt in Konfuzius' Worten zum Ausdruck: »Es gibt zwei Dinge, die ich nicht verstehe, die Frauen und das gemeine Volk. Und beide aus demselben Grund: wenn du ihnen reserviert gegenübertrittst, nehmen sie es übel, wenn du mit ihnen vertraulich umgehst, nutzen sie es aus.«

Viele Frauen fühlten sich dagegen vom buddhistischen Glauben an die universelle Liebe, an Mitgefühl und die Gleichheit aller Lebewesen angezogen. Buddhistische Nonnen waren bei anderen Frauen beliebte Ratgeberinnen bei Alltagssorgen, und die wegen ihrer Schönheit gepriesene buddhistische Göttin Guanyin wurde bei Unglück und Kinderlosigkeit um Hilfe angebetet. Daß Frauen, die Nonnen werden, sich der natürlichen Hierarchie, die zwischen Männern und Frauen herrscht, entziehen wollten, bzw. schlimmer noch, sich ihrer Pflicht, Nachkommen in die Welt zu setzen, verweigerten, machte den Herrscherhäusern den Buddhismus suspekt. Der Glaube an die Gleichheit aller Geschöpfe stieß speziell einen Konfuzianer ab, denn eine klar gestufte Hierarchie in den menschlichen Beziehungen ist der Grundpfeiler seiner Überzeugung. Als Staatslehre hatte der Konfuzianismus, der als Chinas Haupterbe gilt, zweitausend Jahre lang Gelegenheit, sich in den moralischen Fundus der Gesellschaft einzugraben.

Die Chinesen glauben an keinen Gott, aber dafür haben sie Eltern, denen sie Gehorsam bis ans Lebensende schulden. So ist es bis heute ein großes Wagnis, gegen den Willen von Eltern und Schwiegereltern zu heiraten. Diese Eigenmächtigkeit verstößt gegen einen der wichtigsten Grundsätze der konfuzianischen Tradition. Im Buch der Riten heißt es: »Eine Frau, die den Eltern (des Mannes) zur Zufriedenheit dient, ist einer, die der Mann liebt, vorzuziehen. Sind die Eltern mit einer solchen unzufrieden, hat er sie wegzuschicken.« Das Wegschicken ging im Laufe der Geschichte, bis unter republikanischer Regierung seit 1911 Scheidungsrecht gesprochen wurde, umstandslos: Ungehorsam gegen die Schwiegereltern, Kinderlosigkeit, Unzucht, Eifersucht, üble Krankheit, Geschwätzigkeit, Diebstahl waren die anerkannten Sieben Scheidungsgründe, die der Ehemann anführen konnte, um seine Frau vor die Tür zu setzen.

Die damaligen und späteren Kommentatoren dieser klassischen Scheidungsgründe faßten unter ›übler Krankheit‹ außer Aussatz auch Stummheit, Taubheit, Blindheit, Kahlköpfigkeit, Lahmheit, Buckligkeit sowie Wahnsinn und chronische Afterfistel. Als scheidungsrelevanter ›Diebstahl‹ galt Diebstahl am Familienbesitz. Nach dem Buch der Riten wurde der Schwiegertochter nicht einmal der Besitz persönlich empfangener Geschenke zugebilligt, und so sah man sie realistischerweise ständig der Versuchung ausgesetzt, sich bereichern zu wollen. Als untragbare ›Eifersucht‹ zählte in der polygamen Ehe Mißgunst und Neid auf die Konkubinen des Mannes, was die Harmonie des Familienlebens bedrohte. Unter ›Kinderlosigkeit‹ verstand man auch die Unfähigkeit, einen Sohn zur Welt zu bringen, so daß eine Mutter mehrerer Töchter durchaus wegen ›Kinderlosigkeit‹ verstoßen werden konnte. Die Frau selbst hatte aus Gründen ihrer Abhängigkeit keine Möglichkeit, selber die Scheidung zu begehren.

Ein größeres persönliches Scheitern als eine Scheidung war also nicht vorstellbar, und da Wiederheirat ungern gesehen wurde, galt es als besonders tugendhaft, wenn eine Witwe den Freitod wählte, es sei denn, ihre höhere Pflicht bestand in der Sorge um die Schwiegereltern. Nur unter wenigen Bedingungen konnte ein Ehemann sich nicht scheiden lassen: »Wenn sie (die Ehefrau) dorthin, woher sie geholt worden war, nicht zurückgehen konnte (weil ihre eigene Familie ausgestorben war); wenn sie gemeinsam mit dem Gatten die dreijährige Trauerzeit um seine Eltern verbracht hatte; wenn sie mit ihm frühere Armut und Niedrigkeit geteilt hatte, und er mittlerweile reich und angesehen war.« Das galt natürlich nur für die erste Ehefrau, nicht für die Konkubinen.

Im Zusammenhang mit der sogenannten 4. Mai-Bewegung 1919 – sie begann mit studentischen Protestdemonstrationen gegen die ungerechte Behandlung von Chinas Ansprüchen auf der Versailler Konferenz und wurde zu einer breiten Auseinandersetzung mit der chinesischen Tradition sowie zur Wiege der 1921 gegründeten Kommunistischen Partei – wurde die körperliche und seelische Verfassung der chinesischen Frauen zu einem zentralen Thema der Diskussion, die in neugegründeten Zeitschriften und Zeitungen ausgetragen wurde. Insgesamt vermittelt die damalige Diskussion ein düsteres, gleichwohl im Wandel begriffenes Bild der Frauenwelt.

Aufgeschreckt durch die nicht für möglich gehaltene Niederlage des ›Reiches der Mitte‹, das sich für den unbestreitbaren Mittelpunkt aller Zivilisation und Kultur hielt, 1895 im Krieg gegen das kleine Japan, fand man durch das Studium westlicher Philosophen und Ökonomen doch einige mögliche Gründe für die vergleichsweise enorme Produktivität modernerer Nationen. Sie schien aus der freien Entfaltung der intellektuellen, moralischen und physischen Kräfte des Individuums zu kommen. Die chinesischen Reformer mußten zur Kenntnis nehmen, daß die Hälfte der Bevölkerung ihres Landes geistig und körperlich mehr oder weniger zu Krüppeln gemacht worden war, und daß dieser Zustand von den überlieferten Lehren als höchste Vollkommenheit gepriesen wurde. Hier verbarg sich also mindestens eine der unausgeschöpften Ressourcen für nationale Stärke: die chinesischen Frauen.

In der Folge wurden Mädchenschulen gegründet und Vereinigungen gegen das Füßebinden, denen ausschließlich Männer angehörten, die sich verpflichteten, ihre Töchter mit normalen Füßen aufwachsen zu lassen oder ihre Söhne nur mit Frauen zu verheiraten, die keine verkrüppelten Füße hatten. Frauen selbst taten sich mit der Mitarbeit schwer, denn noch hatte man sie nicht in die Öffentlichkeit entlassen. Außerdem waren sie selbst, wie schon erwähnt, noch nicht sicher, ob sie auf die bisherigen Garantien für eine sichere Zukunft, gebundene Füße und unschuldige Unwissenheit, schon verzichten konnten.

Zuvor mußte die Frage der Beziehung zwischen Männern und Frauen neu gestellt und der gesellschaftliche Umgang der Geschlechter miteinander enttabuisiert werden. Was würde geschehen, wenn man Frauen in die Freiheit des sozialen Lebens schickte? Auch diejenigen, die offenen Umgang von Männern und Frauen befürworteten, befürchteten doch, daß »in einer Gesellschaft wie der chinesischen, wo durch jahrtausendelange Ritenerziehung die Reinheit der menschlichen Natur mit Gewalt zerstört wurde, es nach Aufhebung der Schranken zwischen den Geschlechtern plötzlich zu Chaos kommen könnte«, wie es in einem Diskussionsbeitrag von Shen Yanbing 1921 heißt. Man sehe, schreibt ein Xi Leng 1922, »in letzter Zeit häufiger Jugendliche, die sich modern und aufgeschlossen nennen und in gemischten Gruppen verkehren. Ihr Benehmen ist jedoch zügellos und peinlich. Ernsthaftigkeit und Respekt, Gefühle, die unter Freunden herrschen sollten, haben sie verloren.(...) Unter ihnen gibt es einige, die sozialen Kontakt als sexuellen Kontakt mißverstehen, oder aber fälschlicherweise meinen, soziale Kontakte seien nur ein Mittel, um Liebesbeziehungen zu knüpfen.«

Dieselben Autoren, renommierte Intellektuelle, die im Zuge der Diskussion auch für die Abschaffung der Kuppelei eintraten, fürchteten gleichwohl die Folgen einer etwaigen freien Partnerwahl in der Öffentlichkeit. Die jungen Leute »tendieren zum Lasterhaften, sie haben den richtigen Weg aus den Augen verloren. Sie benehmen sich barbarisch und haben zumeist eine tierische Gesinnung, kaum eine menschliche Seele!« Wegen solcherart drohender Gefahr für die öffentliche Ordnung und für die weibliche Tugendhaftigkeit zögerten gerade unter den gebildeteren Frauen viele, Kontakte zur Männerwelt in aller Öffentlichkeit zu knüpfen. Viele von ihnen, so schrieb zum Beispiel der Autor Yan Chongyun, fürchteten, auf einen unsittlichen Weg zu geraten und »nicht wenige unter ihnen halten den Mann für so etwas wie einen Tiger oder einen Wolf.«

In der Auseinandersetzung mit den tradierten Moral- und Verhaltensnormen wurde auch die Ansicht ausgesprochen, daß die weibliche Keuschheit als Inbegriff moralisch einwandfreien Verhaltens und die Prostitution als Ausdruck der denkbar niedrigsten Moral lediglich zwei Seiten ein und derselben Sache seien. Beide Lebensweisen hätten ihren Ursprung in der wirtschaftlichen Abhängigkeit der Frau. »Die Frauen, die sich tief in ihre Gemächer zurückziehen«, schreibt Han Jun 1921, »tun dies, um langfristig ihre Existenz zu sichern. Die Frauen mit einer lockeren Moral haben ebenfalls finanzielle Gründe dafür, nämlich sehr kurzfristig ihren Lebensunterhalt zu verdienen. In beiden Fällen ist die Moral das Mittel der Existenzsicherung.« Weibliche Sexualität als funktionalisierte Ware unterliege der Fremdbestimmung, und der schon früh verkrüppelte weibliche Körper werde später für die männliche Sexualität enteignet.

Die allgemeine Meinung tendierte dahin, daß auf jeden Fall die Geschlechter weiterhin voreinander geschützt werden müßten, wobei insgesamt unklar blieb, wer vor wem. Souveränere Geister merkten an, wer jahrhundertelang Frauen in ihren Gemächern isoliert hätte, sich nicht wundern sollte, wenn ihr öffentliches Erscheinen plötzlich Verwirrung stifte; man könne aber doch nicht »wegen Verdauungsstörungen gleich das Essen aufgeben«.

Es war das Verdienst der kommunistischen Bewegung, Frauen für ihre eigene Befreiung aus den inneren Gemächern zu mobilisieren und in den Kampf um Befreiung des ganzen Landes von feudalistischer und Militärherrschaft zu integrieren. Dort, wo die Kommunistische Partei schon die Macht übernommen hatte, in den Befreiten Gebieten, herrschten neue Sitten. Dort durften

Frauen Zwangsehen auflösen, was sie in den wenigen Jahren, in denen diese Regelung galt, zigtausendfach taten; dort sorgte der Kommunistische Frauenverband dafür, daß gewalttätige Ehemänner in hartnäckigen Fällen von den Nachbarinnen zur Umerziehung gemeinschaftlich verprügelt wurden, daß Frauen arbeiten durften und mußten und beinahe gleich bezahlt wurden; Frauen durften bewaffnet kämpfen, und sie waren vermutlich noch um etliches mehr motiviert als ihre männlichen Mitstreiter.

Als Mao Tse-tung 1949 auf dem Platz des Himmlischen Friedens in Peking die Gründung der Volksrepublik China bekanntgab, wußte er, daß das ohne die Kampfbereitschaft der chinesischen Frauen nicht wahr geworden wäre. In der Folge formulierte die neue Regierung einige Gesetze, die die Persönlichkeitsrechte von Frauen in den Vordergrund stellten: Man legte ein Mindestheiratsalter fest und verbot Kuppelei und Polygamie; die Scheidungswillkür des Mannes wurde aufgehoben; das Recht auf körperliche Unversehrtheit, auf persönlichen Besitz, auf Schulbildung und Erwerbstätigkeit wurde festgeschrieben.

Auch Mutterschutz- und Arbeitsschutzregelungen traten im Laufe der Zeit in Kraft, als Würdigung der biologischen Funktionen des weiblichen Körpers. Diese gesetzlichen Maßnahmen zum Schutz der Frau sind Willenserklärungen des Staates, der allerdings eine unabhängige Rechtssprechung zu ihrer Durchsetzung nicht zuläßt. Im Gegenteil, der chinesische Staat nimmt sich in allen seinen Verzweigungen das Recht, über die körperlichen Funktionen der Frau zu wachen, sie zu kontrollieren und sie zu seinem behaupteten Wohl zu nutzen oder zu beschränken.

Der geringe gesellschaftliche und familiäre Status der chinesischen Frauen in der längsten Zeit ihrer aufgezeichneten Geschichte korrespondierte immer mit männlicher Verfügungsgewalt über ihren Körper. Daran hat sich auch während der sozialistischen Herrschaft der letzten dreiundvierzig Jahre kaum etwas geändert. Wo Familie oder Ehemann heute in ihren Verfügungsrechten zurückstecken müssen, ist der Staat als Patriarch zwanglos eingesprungen. In seiner autoritären Form und in seiner Ablehnung und Bekämpfung individueller Eigenwege kam der chinesische Sozialismus dem gewohnten feudalistischen Denkstil recht nahe, übrigens gerade, was die Moral und die Haltung zur Sexualität betrifft.

Oft dachte ich, als ich mich in den achtziger Jahren mit der rigiden Bevölkerungspolitik Chinas befaßte, daß diese Politik nur vor dem Hintergrund der immer noch für selbstverständlich erachteten Leibeigenschaft der Frauen möglich sei. Die staatliche Geburtenplanung trifft sich mit dem Bedürfnis nach Triebkontrolle und verstärkt die Sexualangst. Zusammen mit der Kriminalisierung vor- oder außerehelicher Sexualität und mit der aus berufs- und wohnungspolitischen Gründen häufig erzwungenen langfristigen Trennung von Eheleuten tut der sogar in der Verfassung festgeschriebene Zwang zur Geburtenplanung und Schwangerschaftsverhütung ein übriges, um den individuellen Spielraum auf ein Minimum einzuschränken. Nicht nur, daß die Familiengröße genormt wird, auch Zeitpunkt von Heirat und Schwangerschaft wird vorgegeben. Die Bevölkerungspolitik, die man in den folgenden neun Maßnahmen zusammenfassen kann, greift in die weibliche Lebensplanung kontrollierend und wertend ein:

1. Schwangerschaft und Geburt sind nur innerhalb der Ehe gestattet. In anderen Fällen sind Abtreibungen die Regel.

2. Die Eheschließung soll für Frauen frühestens im Alter von fünfundzwanzig Jahren, für Männer mit siebenundzwanzig Jahren erfolgen. Da eine Frau aber spätestens ab sechsundzwanzig schon als recht alte Jungfer gilt, engt diese Vorschrift besonders die ebenfalls gesetzlich festgeschriebene ›Freiheit der Partnerwahl‹ ein. Zu wählerisch kann eine Fünfundzwanzigjährige gar nicht mehr sein.

3. Eine geplante Schwangerschaft muß von den zuständigen Behörden genehmigt werden. Solche Familienplanungsbüros gibt es in jedem Stadtteil, auch in jedem größeren Unternehmen, die dann die Geburtenquote des jeweiligen Jahres unter den Berechtigten aufteilen.

4. Eine einmal erteilte Genehmigung gilt unbegrenzt bis zur Vollendung der Schwangerschaft. Dies ist deshalb wichtig, weil unter dem Druck der Anmelde- und Genehmigungspflicht viele erhoffte Schwangerschaften nicht planmäßig zustande kommen. Dem psychischen Druck, der auf den dergestalt verplanten Frauen lastet, wird damit versuchsweise Rechnung getragen.

5. Das Paar, das sich schriftlich verpflichtet, nur ein Kind zu bekommen, genießt finanzielle und soziale Vergünstigungen. Wer entgegen dieser Verpflichtung ein weiteres Kind bekommt, muß die Geldprämien zurückerstatten und verliert alle in diesem Zusammenhang gewährten Privilegien. Die Höhe der Belohnung variiert je nach Reichtum der Provinz. In den Städten werden Eltern von Einzelkindern bei der Vergabe von Wohnungen, Kindergartenplätzen, ja sogar späteren Lehrstellen bevorzugt.

6. Ein Antrag auf ein zweites Kind kann frühestens gestellt werden, wenn das erstgeborene Kind drei Jahre alt ist. Er hat nur dann Aussicht auf Bewilligung, wenn das Erstgeborene aus nicht-erblichen Gründen krank oder behindert ist oder durch nicht-erbliche Krankheit oder Unfall stirbt. Mit dieser Vorschrift wird der ökonomischen Tatsache Rechnung getragen, daß Eltern sich im Alter meist auf die finanzielle Unterstützung ihres Kindes verlassen müssen, weil außer in den Städten keine staatliche oder betriebliche Rente bezogen werden kann. Natürlich wird dadurch auch diskriminierenden eugenischen Maßnahmen der Weg bereitet.

7. Wenn die Familie sehr arm und das erste Kind eine Tochter ist, darf sie ein zweites Kind bekommen. Nachdem die Landwirtschaft in den siebziger Jahren wieder privatisiert wurde, steht und fällt der Familienwohlstand auf dem Land mit der Anzahl der helfenden Hände. Die Tochter ist dabei, wie in früheren Zeiten, eher ein Hemmnis auf dem Weg zum Wohlstand, weil sie die Familie verläßt, bevor sie wirtschaftlichen Nutzen bringt. Die paradoxe Politik, die landwirtschaftliche Produktion mit allen risikoreichen Entscheidungen über Gewinn und Verlust wieder in private Verantwortlichkeit zurückzuverlegen und gleichzeitig die Kontrolle über die Re-Produktion zu verstaatlichen, hat die Bevölkerungspolitik auf dem Lande von Beginn an zum Scheitern verurteilt. Opfer dieser Politik sind die Töchter, die zur frühestmöglichen Ausnutzung ihrer Arbeitskraft häufig gar nicht erst in die Schule geschickt werden. Ein neues Analphabetentum breitet sich aus, von dem zu 70 Prozent Mädchen und Frauen betroffen sind.

8. Nichtgenehmigte Schwangerschaften müssen unterbrochen, für nichtgenehmigte Geburten muß Strafe

bezahlt werden. Die Durchsetzung dieser Vorschrift erfordert ein weitverzweigtes Kontrollsystem, das mit der öffentlichen Überwachung des individuellen Menstruationszyklus in den Familienplanungsbüros der Stadtteile beginnt und bei razziaähnlichen Überfällen auf ganze Dörfer endet. Im Jahr 1990 beispielsweise hatte der Rundfunk der Provinz Hebei berichtet, daß sich im dritten Quartal des Jahres alle Frauen im gebärfähigen Alter einer Untersuchung zu unterziehen hätten, daß jede dieser Frauen zu registrieren sei und daß, »wenn Probleme entdeckt werden, diese frühzeitig zu lösen« seien. Das bedeutete nichts anderes, als daß ungenehmigte Schwangerschaften aufgespürt und beendet werden sollten. Weiterhin wurde in dieser Meldung angekündigt, daß fortan jeweils die letzte Monatswoche Familienplanungsaktivitäten gewidmet werden sollte, d. h. für die Frauen werden monatliche offizielle Untersuchungen auf Schwangerschaft zur Pflicht gemacht. Daß auch Schwangerschaften in späteren Stadien abgebrochen werden, bis hin zu eingeleitete Fehl- bzw. Frühgeburten mit Todesfolge im siebten oder achten Schwangerschaftsmonat, ist dabei kein Geheimnis. Was diese Politik für das psychische Heranwachsen der ›ungenehmigten Kinder‹ bedeutet, ist ebenfalls besorgniserregend.

9. Abtreibung ist legal und kostenlos. Der Gebrauch von Verhütungsmitteln ist für Ehepaare Pflicht. Es steht den jeweiligen Provinzregierungen frei, welche Maßnahmen sie zur Umsetzung dieser Politik in ihrer Region für effektiv halten. Reichere Provinzen, die ihre relativ wohlhabenden Einwohner kaum mehr mit finanziellen Strafen von einer hohen Kinderzahl abhalten können, belohnen Arbeiter und Angestellte, die wie überall im Land sechs Tage in der Woche neun Stunden mit

wenigen arbeitsfreien Feiertagen arbeiten, zum Beispiel mit bezahlten Urlaubstagen für Geburtenkontrollmaßnahmen. Das Einsetzen einer Spirale bringt drei Tage Urlaub; Sterilisation des Mannes sieben, Sterilisation der Frau einundzwanzig Tage Urlaub. Bei Abtreibung gibt es zwei Wochen arbeitsfrei, bei Abtreibung mit anschließender Sterilisation fünfunddreißig Tage, und einundfünfzig Tage Urlaub bekommt eine Frau, die in eine Abtreibung nach dem vierten Schwangerschaftsmonat mit anschließender Sterilisation einwilligt.

Dabei würden heute mehr und mehr Paare mit oder ohne Urlaubsregelung freiwillig gänzlich auf Kinder verzichten, wenn nicht kinderlose Ehepaare als ›unnatürlich‹ angesehen würden. Der Zwang zum Einzelkind ist doppeldeutig: man darf nur eines haben, und eines soll man haben. Wer meint, der chinesischen Kinderflut werde man eben nur durch solch rigide Politik Herr, vergißt, daß die chinesischen Frauen schon in den fünfziger Jahren die nationale Produktion und Verteilung von Verhütungsmitteln gefordert hatten, was ihnen damals mit dem Mao-Zitat verweigert wurde, daß »der Gebrauch von Verhütungsmitteln ... ein Weg (sei), das chinesische Volk zu töten, ohne Blut zu vergießen.« Im Gegenteil, die Frauen wurden aufgefordert, viele Kinder zu bekommen und gleichzeitig beim sozialistischen Aufbau tatkräftig zu helfen. Der aus Erschöpfung geborene Wunsch nach Verhütungsmitteln wurde ihnen als Sabotage ausgelegt.

Auch heute wieder sind die Konsequenzen der staatlichen Bevölkerungspolitik gefährlich für Leib und Seele der Frauen und Mädchen. Jahr für Jahr verschwinden in China etwa eine halbe Million neugeborener Mädchen. Viele dieser Babies werden unmittelbar nach der

Geburt von ihren Eltern getötet. Das Zahlenverhältnis zwischen den Geschlechtern ist derart verrutscht, daß Zeitungen schon melden mußten, daß chinesische Männer im Jahr 2000 keine Frau mehr finden werden, und, vermutlich deshalb, zur Rettung der Baby-Mädchen aufriefen. Traditionell als minderwertig und häufig als Bürde für die Familie betrachtet, hat das weibliche Kind im heutigen China aufgrund der Ein-Kind-Politik einen neuen Statusverlust hinzunehmen. Hoffnung kann aber vielleicht auf denjenigen einzigen Töchtern ruhen, die nun endlich in den unbeschränkten Genuß all dessen kommen, was Eltern sonst wie selbstverständlich nur dem Sohn ermöglichten. Auch die geliebten und geförderten Töchter gibt es natürlich.

Daß so eine Politik der allseitigen Kontrolle überhaupt durchsetzbar ist, hat mit der chinesischen Haltung zum eigenen Körper zu tun. Häufig, wenn ich Fragenden gegenüber erwähnte, daß ich während der Unterhaltungen mit Chinesinnen auf großes Leiden an Körper und Seele getroffen sei, kam auch Verwunderung auf. Die Chinesen seien doch geradezu berühmt für den bewußten und perfekten Umgang mit ihrem Körper: Weltbeste Akrobaten, körperbewußteste Schwertkämpfer und eleganteste Schattenboxer, meditative Atemtechniken bis zu Trancezuständen, Akupunktur und Heilmassagen – so entfremdet können doch chinesische Menschen von ihrem Körper eigentlich gar nicht sein. Genauer betrachtet fällt auf, daß mit dem Bewußtwerden sogleich der Wunsch nach Beherrschung und Kontrolle einhergeht. Die Kunst der Körperbeherrschung bringt eine kontrollierte und künstliche ›Natürlichkeit‹ hervor, so etwas wie chinesische Olympiasiegerinnen im Kunstturnen, die ihren Körper über seine freiwillige Biegsamkeit hinwegzwingen. Es geht dabei um die Beherrschung und auch Leugnung des Fühlbaren.

Man könnte meinen, es ginge um notwendige und Fortschritt begründende Beherrschung der Natur, wie sie allgemein zu jedem Zivilisationsprozeß gehört. Doch die chinesische Kunst der Beherrschung wird mancherorts ins Gigantische getrieben, wo das Verblüffende des Ausmaßes die Frage nach Sinn und Legitimation altmodisch und kleinlich erscheinen läßt. China ist für viele Beispiele der Grenzüberschreitung in der Natur bekannt und berühmt: Über Generationen hinweg haben Chinesen den Verlauf von Flüssen verändert und, der von Mao geliebten Fabel Yu Gongs folgend, auch Berge versetzt.

Erst vor wenigen Tagen stand in der Zeitung, daß Chinesen mit der Sprengung eines riesigen Berges, an dessen Stelle sie einen Flugplatz bauen wollen, einen neuen Weltrekord für künstliche Explosionen aufgestellt haben; sie haben in steinigsten Berggegenden Terrassenfelder angelegt, das erste künstliche Bewässerungssystem der Kulturgeschichte erfunden, den größten Staudamm der Welt in einer der urwüchsigsten Landschaften geplant, feinste Stickereien aus Menschenhaar vollbracht, ein ganzes Buch auf der Rückseite einer Briefmarke geschrieben, kunstvollste Malereien auf die Innenseite einer winzigen Flasche gepinselt, — alles Vorhaben, die beeindruckend und zunächst gar nicht unmittelbar sinnlich faßbar und erfahrbar sind. Erst später fragt man sich: warum? Es scheint so, als würde durch diese Kunst, die natürlichen Grenzen zu überschreiten, das naturgegeben Sinnliche zum bloßen Rohstoff degradiert. Das spielerisch Scheinende in der Akrobatik bekommt einen gewalttätigen Zug.

Nichts fürchten die Chinesen so sehr wie ›Gesicht

zu verlieren‹, was nichts anderes bedeutet, als die Kontrolle über den ›Naturzustand‹ ihrer Gefühle zu verlieren. Gesicht zu verlieren ist deshalb so peinigend, weil es als sichtbares Scheitern der Kontrollinstanz interpretiert wird. Was folgt, ist überwältigende Scham, ein sozialer Tod, eine Verletzung des Gefühls für Ästhetik durch Kontrolle. Nichts Natürliches ist schön für chinesisch trainierte Augen. Kein chinesischer Mensch versteht unsere westliche Art zu fotografieren – möglichst ›natürlich‹, ein geglückter ungestellter Schnappschuß. Als ich meine chinesische Zimmerkollegin während eines Arbeitseinsatzes auf dem Land einmal aus Spaß beim Haarewaschen über einer Regentonne fotografierte und mich selber über diesen Eindruck von Licht, Wärme, Wasser und offensichtlichem Wohlgefühl freute, war sie so beleidigt, daß sie den Rest des Tages nicht mehr mit mir sprach.

Unsere Art von Wahrheitsdokumentation in der Fotografie ist eine Beleidigung für das chinesische Bemühen um Kontrolle des Un-Perfekten, des für häßlich erachteten Naturwüchsigen. Jede Dokumentation des künstlich Schönen nährt die Hoffnung, daß Beherrschung und Kontrolle gelingen können. »Geburtenkontrolle ist gut!« rufen rot- und pausbackige Einzelkinder von den Propagandaplakaten an den Straßenkreuzungen herunter. So ist Fortpflanzung schön, und dazu ist in offizieller Lesart Sexualität vorrangig da. Die ästhetische Befriedigung, in Handlung und Verhalten einer kontrollierten Idealform zu entsprechen, ist nach chinesischen Maßstäben wohl wirklich das schönere Gefühl.

Individuelles Verlangen muß darin aufgehen – und geht dabei unter. Es ist ein Risiko, sich selber zu kennen, und je mehr Wissen jede einzelne Frau über sich selber und über Möglichkeiten der Sexualität ansammelt, desto offenkundiger wird der Mangel, in dem sie lebt. Was mich während der Gespräche mit chinesischen Frauen jenseits aller Worte erreichte und seinen Eindruck hinterließ, war nicht etwa die Summe sexueller Aktivitäten, die in unserer westlichen Presse neuerdings so mitleidig-erregt als ›enttäuschendes Ergebnis des ersten chinesischen Sex-Reports‹ referiert wird, sondern die Schärfe des leidvollen Bewußtseins, daß ihnen dringend etwas fehlt, was zur Zeit in China noch nicht zu haben ist.

Dazu kommt, daß sexuelle Wünsche der Frauen bei den chinesischen Männern auf Angst und Abwehr stoßen, und womöglich liegt der Grund für das grassierende Symptom der männlichen Lustlosigkeit und Impotenz genau in diesem Wandel traditioneller Verhaltens - und Erlebensweisen, der sich bei den Frauen anbahnt. ›Immer noch starke Prüderie‹ würde der Sexualreport aus China ›enthüllen‹. Die Bewohner dieses Entwicklungslandes, wird mit leicht schadenfrohem Unterton berichtet, täten es im Durchschnitt ›nur einmal die Woche‹. Diese Quantifizierung, ärgerlich genug, ist doch überhaupt sinnlos. Angesichts äußerer wie innerer Schwierigkeiten mit der Sexualität kann ›einmal die Woche‹ absolut zuviel sein. Selbstgewählte sexuelle Abstinenz, so ambivalent sie auch ist, kann eine heilsame Reaktion auf einen psychischen und gesellschaftlichen Prozeß sein, der mit etwas Glück zu einem Fortschritt wird.

Sieben Chinesinnen

Ich habe die chinesischen Frauen, die ich in Peking treffen und kennenlernen konnte, eigentlich nur gefragt, wie es ihnen geht. Ich fühlte mich mit ihnen, meiner idealisierten Hälfte des Himmels, so lange Zeit verbunden, daß ich diese Frage mit einiger Empathie stellen konnte. Ich kannte sie persönlich vorher nicht. Wir sprachen chinesisch, aber in fast allen Gesprächen war eine chinesische Freundin dabei, eine Germanistin, die meine hin und wieder auf deutsch formulierten Rückfragen nuancensicher ins Chinesische übersetzte. Ihre Wohnung war häufig Treffpunkt für die Unterhaltungen, manchmal bevorzugten die Gesprächspartnerinnen aber auch einen neutraleren Ort.

Natürlich habe ich die Namen und einige lebensgeschichtliche Details der sieben Chinesinnen für diese Veröffentlichung verändert, denn ich habe versprochen, ihre Daten zu schützen. Nicht weil das eine notwendige Standardfloskel der Interviewer geworden ist, sondern weil die Millionenstadt Peking ein klatschendes und tratschendes Dorf ist, sobald es um Privates geht. Nach den Erfahrungen unzähliger Kampagnen der letzten Jahrzehnte besteht zu Recht immer noch die Angst, daß jedwede persönliche Äußerung, besonders wenn sie eine Klage enthält, von mißgünstigen Menschen in politischen Bewegungen irgendwann gegen sie gewandt werden kann. Um so mehr sind die chinesischen Frauen für ihren Mut zu bewundern.

Ist es unnötig zu sagen, daß es um sieben individuelle Menschen geht, die ein Bild von sich, ihrem Leben, Denken und Fühlen zeichneten, wie es für sie wahr ist? Natürlich sprechen sie nicht für einige hundert Millionen anderer Frauen, zumal sie eine recht privilegierte ›Stichprobe‹ darstellen. Alle sind gebildete, berufstätige und finanziell potentiell unabhängige Frauen, die keine Scheu hatten, mit einer Ausländerin ein gemeinhin tabuisiertes Thema anzusprechen. Die folgenden kurzen Darstellungen ihrer Biographien folgen ihren eigenen Worten. Das, was in allen oder beinahe allen Gesprächen auftauchte, habe ich als Hinweis auf allgemeingültigere Erfahrungen chinesischer Stadtfrauen, die heute zwischen fünfundzwanzig und fünfzig Jahre alt sind, aufgegriffen und zum Anlaß einiger weiterführender Überlegungen genommen. Eine Zeittafel politischer Kampagnen findet sich im Anhang, zusammen mit einer Liste empfehlenswerter Literatur zum Thema.

Li Shimei
50, Naturwissenschaftlerin

Li Shimei wurde 1941 geboren. Sie sagt, daß ihre Eltern keine harmonische Ehe führten, denn sie seien vom Temperament her sehr verschieden gewesen, die Mutter lebhaft, der Vater eher ruhig und zurückhaltend. Anfänglich sollen sie verliebt gewesen sein, sogar stürmisch verliebt, aber das wurde ihnen bald ausgetrieben, und sie haben alles, was mit Gefühlen zusammenhing, unterdrückt. Li Shimei erinnert sich an viele Gelegenheiten, wo ihre Mutter sehr deprimiert war.

Ihre Erziehung war streng. Mit sieben Jahren wurde sie Mitglied der Jungen Pioniere, eine ›kleine Soldatin‹. Sie wohnte im Wohnheim der Jungen Pioniere an der Schule, zog also mit sieben Jahren quasi von zu Hause aus und kam nur zum Wochenende in die Familie zurück. Bei den Pionieren herrschte ein äußerst strenges Regiment, was von den Eltern sehr begrüßt wurde. Auch hier, wie zu Hause, wurde alles, was mit Gefühlen zusammenhing, gefürchtet und mußte unterdrückt werden. In diesem Sinne ist sie traditionell erzogen worden, sowohl zu Hause als auch bei den Pionieren. Wenn sie am Wochenende nach Hause kam, waren die Eltern, die viel arbeiteten, meist gar nicht da. Der Vater nahm sie hin und wieder mit ins Kino, mit der Mutter ging sie manchmal zum Essen.

Insgesamt wohnte sie sehr wenig mit ihren Eltern zusammen, denn auch später in der Mittelschule und an der Universität wohnte sie immer in Wohnheimen. Mit ihrem Vater verstand sie sich besser als mit ihrer Mutter. Die Beziehung zur Mutter fand sie schwierig und kühl. Sie glaubt, daß sie als Kind früh selbständig war, weil sie gar keine andere Wahl hatte. Es gab niemanden, mit dem sie Sorgen oder Probleme hätte teilen können, denn über Gefühle wurde nicht gesprochen. Über sexuelle Fragen wurde sie nicht aufgeklärt, und sie erinnert sich auch gar nicht, woher sie das, was sie schließlich wußte, erfahren hat.

Auf die Menstruation war sie insofern vorbereitet, als sie bei älteren Mädchen im Wohnheim einiges beobachten konnte, zum Beispiel das Hantieren mit viel Papier auf der Toilette und das Auswaschen von vielen Stofflappen im Waschraum. Sie selber hat sich während der Menstruation dann aber immer versteckt, zurückgezogen, keiner sollte etwas davon merken. Das Drama um ihren wachsenden Busen erinnert sie noch gut, und heute kann sie darüber lachen. Aber damals war sie verwirrt und ängstlich und verstand nicht, wieso ihr da plötzlich ›zwei solche Klumpen‹ wuchsen.

Ihre Mutter gab ihr auch keine Aufklärung, sondern rieb die Brust mit irgendeinem alkoholischen Mittel ein, das das Wachstum verhindern sollte. Und dann wurde der Busen mit einem Tuch plattgebunden, so stramm wie möglich. Sie muß lachen, wenn sie daran denkt, wie dumm ihre Mutter sogar als Erwachsene noch gewesen ist. Ihre Mutter habe so gar kein körperliches Wissen gehabt. Auf jeden Fall war es wichtig, daß niemand etwas vom Busen sah. Nur ein ›schlechtes‹ Mädchen hätte irgend etwas davon ahnen lassen.

Busen war eine Schande, und man hatte nichts Gutes davon.

Li Shimei erinnert sich, daß sie trotz aller Gefühlsverbote in ihren Musiklehrer in der Grundschule verliebt war. Sie mochte die Singstunden, war gern mit ihm zusammen, weil er sie auch mochte. Sie war damals ein lebhaftes, fröhliches Kind, eine gute Schülerin, alle Lehrer mochten sie, aber mit diesem einen war es ganz speziell. Sie bedauert und ist auch immer noch ärgerlich darüber, daß ihre Eltern sich zu sehr in ihre Angelegenheiten eingemischt haben. Es war ohnehin mit dem Verlieben schon schwierig genug. In der damaligen Zeit durfte man an so etwas eigentlich gar nicht denken. Es ging immer nur darum, sehr politisch, sehr fortschrittlich, sehr gewissenhaft beim Studium der Mao-Tse-tung-Gedanken zu sein. Man sollte in die Kommunistische Partei aufgenommen werden, das war das höchste Ziel.

Und sie war dabei sehr erfolgreich. Mit zwanzig Jahren wurde sie in den Kommunistischen Jugendverband aufgenommen, in einer Zeit, Anfang der sechziger Jahre, als es in China aufgrund politischer und wirtschaftlicher Fehlentscheidungen während des ›Großen Sprungs nach vorn‹ kaum etwas zu essen gab. Sie blieb unbeirrt, und alle sahen in ihr eine sehr strebsame, gewissenhafte und lobenswerte Person. So sah sie sich damals auch selber, denn sie hatte ein erstes wichtiges Ziel erreicht und war zufrieden mit sich. Dann aber haben sich die Dinge geändert, denn sie lernte einen Mann kennen. Zum ersten Mal fühlte sie etwas anderes, als sie sollte.

Zum ersten Mal stimmte ihr eigenes Erleben nicht mit den Werten und Vorstellungen der Eltern und der politischen Vorbilder überein. Ihre Mutter hatte an einen zukünftigen Schwiegersohn drei Bedingungen gestellt, an denen Li Shimei bis dahin auch nichts auszusetzen gehabt hatte: er mußte Parteimitglied, ein paar Jahre älter und vorbildlich in Strebsamkeit und Lerneifer sein. Der junge Mann, den sie an der Universität während ihres Studiums kennenlernte, war ein fleißiger Student, aber er war zwei Jahre jünger und kein Parteimitglied. Bei ihren Eltern fiel er vollständig durch. Es begann eine lange Zeit großer innerer Konflikte, an die sie auch nach vielen Jahren nicht unbewegt denken kann. Ihr Bericht wird von mehrmaligem Weinen unterbrochen, bzw. von mühsamen Versuchen, es zu unterdrücken.

Dieser Mann, Luo Yang, entsprach auch nicht ihren eigenen bewußten Idealvorstellungen, die sie von den Eltern übernommen hatte. Dennoch fühlte sie sich täglich mehr zu ihm hingezogen. Sie war hin- und hergerissen, denn nicht nur die Familie, auch ihre Lehrer billigten diese Freundschaft nicht. Zum einen galt für Studenten das Verbot, während der Studienzeit Freundschaften mit dem anderen Geschlecht zu knüpfen, um nicht vom Lernen abgelenkt zu werden, zum anderen waren die Lehrer und politischen Führer der Meinung, daß er mit seinem politischen Status und seinen Ansichten nicht zu ihr passe. Er hätte schlechten Einfluß auf sie und würde ihren gedanklichen Fortschritt behindern. In der Tat verband sie etwas anderes als die Politik, nämlich die Musik. Sie sang gerne und gut, und er spielte Streichinstrumente und war sehr musikalisch. Und wenn sie dann sang, so erzählt Li Shimei, sagte Luo Yang immer: ›Noch einmal, sing noch einmal, sing weiter, ich begleite dich!‹. Als er in den Sommerferien nach Hause fuhr, hatte sie das Gefühl, daß er ihr fehlte.

Wie alle chinesischen Mädchen, die in den sechziger Jahren aufgewachsen sind, hatte sie überhaupt keinen Kontakt mit Jungen gehabt. Sie wußte nichts über mögliche Gefühle zwischen Mann und Frau. Es hieß, daß nur Menschen mit ›rückständigem Denken‹ über Liebe reden. ›Schlechte Kinder‹ taten so etwas. Das waren die, die nicht gut lernten, die politisch keine Fortschritte machten. So ein Mensch wollte Li Shimei nie sein und war es bis dahin auch nicht gewesen. Sie bekam große Probleme durch ihre Freundschaft mit Luo Yang, denn alle in ihrer Umgebung waren gegen ihn. Sie selbst wußte nicht, ob das Gefühl, sich nach ihm zu sehnen, mit ihm Zeit verbringen, in seiner Nähe sein zu wollen, etwas Normales oder etwas Unnormales war. Durfte sie diesem Gefühl nachgeben, oder mußte sie es wie alle anderen unterdrücken?

Der richtige Standpunkt dazu fehlte ihr völlig. Sie war orientierungslos einem Gefühl ausgeliefert, das andere Menschen verteufelten, das aber zu stark war, um einfach unterdrückt werden zu können. Politisch waren sie und Luo Yang durch Welten getrennt, aber niemandem hatte sie sich jemals so nah gefühlt. Sie wurde krank und körperlich sehr schwach. Sie sah Luo Yang täglich während des Studiums und tausendmal beschlossen sie, sich zu trennen. Natürlich hatten sie sich niemals berührt, keinmal angefaßt. Sie wußte, daß es sexuelle Beziehungen zwischen Mann und Frau gibt, sie wußte auch, wie das geht, aber sie wußte nicht, ob das normal war oder nicht. Auch hier fehlte ihr der Standpunkt. Die Eltern hatten niemals dergleichen erwähnt, und Bücher gab es darüber nicht. Wenn es welche gegeben hätte, hätte man sie nicht lesen dürfen. So vermied sie, und auch Luo Yang, jede Berührung.

Ihrem politischen Status und Selbstbild entsprechend meldete sie sich 1966 zu Beginn der ›Großen Proletarischen Kulturrevolution‹ freiwillig, um aufs Land zu gehen, bei den Bauern zu arbeiten und sie politisch zu bilden. Ein wenig hatte sie die Hoffnung, daß das die komplizierte Freundschaft mit Luo Yang beenden würde, aber auch er ließ sich daraufhin sofort in jenes Dorf sehr armer Bauern schicken, so daß ihre Situation unverändert blieb: Sie sahen sich und hatten dieses Liebesgefühl. Sie berührten sich nie, beschlossen immer wieder die Trennung und wurden vom Parteisekretär dazu gedrängt, aber sie trafen sich weiter. Das ging so einige Jahre, bis ein Brief von ihrer Mutter eintraf, in dem sie forderte, daß Li Shimei und Luo Yang heiraten müßten. In dem Moment wurde ihr klar, daß die Mutter sich schon längst mit dieser Beziehung abgefunden hatte. Und sie hatte es nicht gewußt.

Bis 1972 mußten sie und Luo Yang noch in dem Bauerndorf bleiben und mit der Hochzeit warten, denn sie hatten kein Geld, um nach Hause zu fahren, um den obligatorischen Antrittsbesuch bei den Eltern und Schwiegereltern zu machen. Drei Jahre sparten sie, bevor sie fahren konnten. Zwischen Verlieben und Heiraten waren mehr als sieben Jahre vergangen, und die meiste Zeit davon war schwer und schmerzhaft gewesen. Sie durften sich nicht berühren, konnten ihre Liebe nicht genießen, mußten sie sogar schlecht machen. Li Shimei berichtet, daß sie, kurz bevor sie beide das Dorf verließen, Luo Yangs wortlosem Drängen nachgegeben und mit ihm geschlafen habe.

Die Schuldgefühle, die sie danach empfand, waren überwältigend gewesen, ebenso die Angst, es könnte etwas passiert sein. Eigentlich, meinte sie, hätte sie es gar nicht gewollt, aber sie fand es schwierig, seine stumme

Forderung zu ignorieren oder abzulehnen. So war auch dieses Erlebnis kein schönes. Obwohl sie sich, im Gegensatz zu vielen anderen Frauen, die sie kennt, glücklich schätzt, jedenfalls einmal einen Mann von Herzen geliebt zu haben, empfindet sie die damalige Zeit als bitter. Immer war es bitter. Als sie sich verliebten, als sie kein Geld zum Heiraten hatten, als sie vor der Ehe mit ihm schlief – nichts davon war leicht. Und als sie dann verheiratet waren und zwei Söhne hatten, starb Luo Yang während des großen Erdbebens im Jahr 1976. Ihre Kinder waren noch keine drei Jahre alt.

Li Shimei hat dann, mit achtunddreißig, einen ungeliebten Mann geheiratet, einen Witwer. Diesmal hatte die Mutter keine Einwände, im Gegenteil, sie sagte, sie sollte froh sein, daß sie noch einen Mann gefunden hätte, was nicht selbstverständlich wäre mit zwei Kindern. Die Eltern sind mit diesem Mann zufriedener als sie selbst. Er ist gut zu den Kindern, aber zu ihr ist er grob und rücksichtslos. Er erwartet, daß sie für eine funktionierende Ehe sorgt. Sie empfindet es als eine schwere Bürde, daß sie die gesamte Verantwortung für das Ehe- und Familienleben hat. Gleichzeitig arbeitet sie auch viel in ihrem Beruf. Sie hat eine bessere Ausbildung als ihr Mann, und auch das ist ein Problem in der Ehe.

Wenn sie eine Gehaltserhöhung bekommt oder irgendeine andere Vergünstigung oder Belobigung, erzählt sie es zu Hause gar nicht mehr. Wenn ihr Mann aber mit ähnlichen Nachrichten nach Hause kommt, dann kocht sie ein Festessen, um ihn zu feiern. Er sieht, daß sie sehr belastet ist, sagt aber, daß sie sich ja scheiden lassen könne, wenn sie den Haushalt, die Kinder, das eheliche Leben, den Beruf nicht schaffe. Aber ob sie es aushalten würde, eine geschiedene Frau zu sein? Auch in anderer

Hinsicht fühlt sie sich sehr unglücklich. Wenn er mit ihr schlafen will, auch währenddessen oder hinterher, wird sie oft ohnmächtig, bewußtlos. Sie glaubt nicht, daß sie alleine leben könnte, denn wenn sie sich das vorstellt, fällt ihr die schreckliche Einsamkeit nach dem Tod ihres ersten Mannes wieder ein. Auch ihren Eltern könne sie eine Scheidung nicht antun. Aber wenn sie bedenke, daß sie vermutlich niemals mehr Leidenschaft und Liebe erleben wird, fühle sie sich verzweifelt. Ihr Leben gehe einfach verloren.

Shu Lin

42, Arbeiterin

Shu Lin wurde 1949, im Jahr der Befreiung, als älteste Tochter einer armen Arbeiterfamilie geboren. Sie sagt, daß es in ihrer Kindheit noch sehr feudalistisch zugegangen sei. Dem Großvater habe man bedingungslos gehorchen müssen, in der Schule haben die Lehrer mit Stöcken auf die Hände geschlagen und unruhige Kinder an den Stühlen festgebunden. Am meisten Angst hatte sie als Kind vor Gespenstergeschichten und Geistern. Deshalb hatte sie auch immer große Angst, auf die Toilette zu gehen, wo sie fürchtete, daß Geister ihr aus dem Klobecken kalte Hände entgegenstrecken würden.

Es war in ihrer Jugend nicht üblich, daß Jungen und Mädchen zusammen spielten. Die Geschlechter waren im täglichen Leben getrennt, von Kindheit an. Alle ihre Schulen waren Mädchenschulen, und in der Fabrik, in der sie später arbeitete, gab es ebenfalls, außer den Parteisekretären, nur Frauen. Auch als sie erwachsen wurde, kannte sie kaum Jungen oder Männer. Sie hatte keine Ahnung von Männern. Zu Hause wurde nicht über diese Dinge gesprochen, auch mit den Freundinnen nicht. In den Schulen ging es sehr streng zu, es war gar nicht erlaubt, über Dinge, die die Beziehung zwischen Mann und Frau betrafen, zu sprechen. Sie fand damals, daß Jungen schlecht und unmoralisch wären, besonders seit einige Jungen aus anderen Klassen einmal Frauenköpfe an die Tafel gemalt hatten, das war peinlich und sehr unangenehm.

Peinlich und beängstigend empfand sie auch, mit elf Jahren das erste Mal ihre Tage zu bekommen. Ihre Hosen waren ganz durchnäßt, und Blut kam sogar auf die Schulbank. Sie zog sich dann immer zurück und mied andere Menschen, bis es vorbei war. Sie wußte nicht, was dieses Blut bedeutete, aber es schien eine Plage zu sein, die nur Mädchen traf. Schlimmer noch aber war der Busen. Von da an trug sie immer sehr weite Kleidung, damit man ja die Brüste nicht sehen konnte. Sie sagt, daß sie sich eigentlich sowieso nie etwas aus hübscher Kleidung gemacht habe, aber nun erst recht nicht mehr. Hübsche Kleidung hätte ja die Aufmerksamkeit auf den Körper gelenkt, und das wäre sehr peinlich gewesen. Das ganze Erwachsenwerden, Frau werden, sei eine einzige peinliche Angelegenheit gewesen. Niemand sprach darüber.

Mit neunzehn oder zwanzig Jahren begann sie, in der Fabrik zu arbeiten. Sie ist sicher, sich bis dahin nie Gedanken über Männer gemacht zu haben. Sie habe sich auch niemals verliebt gefühlt. Sie habe aber gern ›revolutionäre Liebesgeschichten‹ gelesen, die anständig und normal waren. Dort wurde zum Beispiel beschrieben, daß gemeinsames Kämpfen und Arbeiten für die Revolution auch Mann und Frau verbindet. Alles, was sie über Beziehungen zwischen Männern und Frauen wußte, stammte aus solchen Geschichten. Es hätte ja keine Filme oder andere Bücher darüber gegeben.

In der Fabrik gab es kaum Männer, aber mit einundzwanzig oder zweiundzwanzig wird es meist Zeit ›über Liebe zu sprechen‹, wie man das in China nennt, wenn man einen Mann sucht. Aber Shu Lin ließ sich noch vier, fünf Jahre Zeit, bis ihr schließlich Freundinnen und Verwandte in den Ohren lagen, daß sie langsam alt würde. Sehr viele Männer wurden ihr nun vorgeschlagen, schließlich auch ein politisch einwandfrei erscheinender Mann aus einer Behörde. Shu Lin war aktives und überzeugtes Parteimitglied, daher mußte und wollte sie auch auf den politischen Hintergrund eines zukünftigen Ehemannes achten. Andererseits habe sie mit sechsundzwanzig schon als recht alt gegolten und habe nicht mehr so wählerisch und anspruchsvoll sein können.

Der anfängliche Eindruck, den der Mann auf sie machte, war gut. Auch seine Mutter war sehr nett zu ihr, und nach ein paar Monaten war klar, dachte sie, daß sie heiraten würden. Sie war schon seiner ganzen Familie vorgestellt worden, und als während des großen Erdbebens von 1976 der Alltag ziemlich durcheinander kam, verbrachte sie eine Nacht mit ihm bei seiner Mutter, wo er wohnte. Sie gab seiner Forderung nach und schlief mit ihm. Was darauf folgte, war eine Katastrophe für sie. Sie hatte guten Glaubens mit ihm geschlafen, daß die Heirat beschlossene Sache sei. Sie hatten schon ein gemeinsames Foto aufnehmen lassen, was in China hohen symbolischen Wert hat.

Sie hatte seinetwegen in den Beischlaf eingewilligt und auch, weil sie nicht gewußt hätte, wie es in diesem Stadium noch hätte abgelehnt werden können. Männer seien eben die Aktiven in dieser Frage. Es sei nicht besonders und auch schnell vorbei gewesen. Aber danach benahm er sich plötzlich schlecht. Er verlangte, daß die Beziehung aufgelöst würde. Er hätte eine andere Freundin woanders. Er wollte Schluß machen. Dabei hatte sich in Shu Lins Augen die Beziehung bis dahin stabil entwickelt, mit Spaziergängen im Park, Besuchen bei den Familien, die Mutter hatte schon Bettbezüge für die Hochzeit genäht, dann das Foto. All das tun und erleben nur verbindlich verlobte Menschen. Nun stellte sich heraus, daß er im Grunde ein schlechter Mensch war. Sie haßte ihn nun, aber wenn er sie trotz allem doch noch geheiratet hätte, wäre sie sehr froh gewesen. Sie hatte vor der Ehe mit ihm geschlafen, und diese Schande konnte ihrer Überzeugung nach nur durch eine Heirat wieder gutgemacht werden.

Sie dachte in dieser Zeit ernsthaft an Selbstmord, weinte jeden Tag und vernachlässigte, besonders beschämend für sie, ihre Arbeit. Ihr Parteisekretär und Chef in der Fabrik bemerkte zum Glück ihre Niedergeschlagenheit, und sie fand den Mut, ihm ihr Unglück anzuvertrauen. Man sprach sie von aller Schuld frei und unterstützte sie, indem man ihr gestattete, den Arbeitsplatz zu wechseln und in einer anderen sozialen Umgebung praktisch neu anzufangen. Shu Lins jetziger Mann, den sie mit Anfang dreißig heiratete, hatte sich zu ihrem Erstaunen sehr um sie bemüht. Sie konnte es kaum glauben, daß er es ernst meinte, zumal er ein paar Jahre jünger ist als sie. Diesen Altersunterschied empfindet sie tatsächlich als recht belastend für sich. Aus diesem Grund war auch seine Familie gegen ihre Heirat. Besonders seine Schwester meinte, in ihrem Alter würde es mit dem Kinderkriegen sicher schwer werden.

Shu Lin befürchtet, daß man den Altersunterschied bald äußerlich bemerken und er seine Wahl dann bereuen werde. Mit siebenunddreißig bekam sie den gemeinsamen Sohn, der nun fünf Jahre alt ist. Sie sagt, daß sie im Grunde nie Kinder gewollt habe, hauptsächlich aus Angst vor Schwangerschaft und Geburt, aber ihrem Mann zu Gefallen sei sie dann doch dazu bereit gewesen. Natürlich haben Schwiegermutter und Schwägerin auch beide sehr gedrängelt. Zunächst durchlitt sie eine Fehlgeburt im fünften Monat, die sehr schmerzhaft war und ihre bestehenden Ängste schürte, zumal die Zeit mit Ende dreißig knapp wurde. Sie stand schon seit der Eheschließung auf der Liste der Frauen, die eine Erlaubnis für eine Schwangerschaft hatten, und alle warteten und fragten.

Die Geburt war wie erwartet schwierig und sehr schmerzhaft. In China werden bei Entbindungen keine Schmerzmittel gegeben. Das Leben mit Kind gestaltete sich für sie nicht einfach, zumal der Vater kaum Zeit mit seinem Sohn verbringt. Sie ist neben der Berufstätigkeit und dem Haushalt praktisch alleine für die Erziehung zuständig. Er geht in den Kindergarten, aber dort werden die Kinder ihrem Eindruck nach nur aufbewahrt, bis sie am Abend wieder abgeholt werden. Von Jahr zu Jahr hat sie sich gefragt, ob sie ihn wegschicken soll in eine Wochenkrippe, um sich zu entlasten. Dann wieder hört sie, daß die Anwesenheit der Mutter doch wichtig sei für Kinder.

Sie empfindet die heutigen Zeiten als recht orientierungslos. Es ist vieles so anders als zur Zeit der Kulturrevolution, als sie erwachsen wurde. Damals habe die politische Erziehung im Kollektiv als das wichtigste und gesündeste für jeden gegolten, da habe es gar keine Entscheidung zu treffen gegeben. Sie glaubt, daß sie für die neuen Zeiten zu altmodisch ist. Sie trägt auch immer noch am liebsten die einfache blau-graue Kleidung von früher. Sie ist häufig müde, das kleine Kind ist anstrengend, die Hausarbeit lastet komplett auf ihr, und sie hat einen neunstündigen Arbeitstag mit langen Anfahrtswegen.

Mit der Sexualität in der Ehe ist sie nie richtig zurecht gekommen, sie hat es nie gemocht, und sie empfindet es als ein Glück, daß auch ihr Mann meistens zu müde dafür ist. Sie erwartet und hofft, daß mit den Wechseljahren endgültig Schluß sein wird damit, und daß das für sie eine gewisse Erleichterung bringen wird, denn sie hat ihrem Mann gegenüber ein ständig schlechtes Gewissen. Zum Glück sei er nicht der Typ Mann, der sich eine jüngere Frau suchen würde; er habe eher Angst vor diesen modernen jungen Frauen.

Yang Bao
36, Sekretärin

Yang Bao wurde 1955 als viertes Kind ihrer Eltern geboren. Die Familie wohnte schon zu sechst in einem Zimmer von vierzehn qm, als ihr jüngerer Bruder geboren wurde. Ihr Haupteindruck von ihrer Kindheit ist Armut, und daß alle immer müde, erschöpft und schlecht gelaunt waren. Es habe sehr viel Streit zu Hause gegeben, und ihre Beziehung zur Mutter sei schlecht gewesen. Die Eltern seien sehr verschieden gewesen, der Vater schweigsam, ein guter Arbeiter, die Mutter dagegen unruhig, launisch, aber auch mit einer gewissen Unabhängigkeit. Sie wollte für die Kinder etwas erreichen, aber sie waren arm und ohne Bildung.

Eine einzige schöne Erinnerung hat Yang Bao, und die betrifft ihren kleinen Bruder. Als er drei Jahre alt war, sollte er in den Kindergarten gehen, aber dort wurde er krank; er mochte überhaupt nichts mit anderen Menschen zu tun haben. Er bekam jeden Tag im Kindergarten hohes Fieber und sprach dort mit niemandem, bis er nach Hause geschickt wurde. Die Mutter mußte arbeiten, und so war Yang Bao als Sechsjährige den ganzen Tag mit dem kleinen Bruder allein zu Hause.

Es war die Zeit der Hungersnot nach dem ›Großen Sprung‹, und die Mutter konnte nur wenig Essen dalassen, nur einen Mantou, ein Hefebrötchen, für jeden. Die sechsjährige Yang Bao und der dreijährige Bruder hingen sehr aneinander, und sie haben bis heute noch eine gute Beziehung zueinander, wohnen allerdings weit voneinander entfernt in verschiedenen Provinzen. Mit sechs Jahren hatte sie die Verantwortung für den Haushalt, sie ging lange Zeit nicht in die Schule. Als sie etwa zehn Jahre alt war, zog sie mit ihren beiden älteren Schwestern in ein anderes Zimmer, weg von zu Hause. Das war besonders für den Bruder schwer.

Von den Schwestern erfuhr sie etwas über die Menstruation, sie beobachtete auf der Toilette, was sie mit dem Papier machten, und da lag auch immer viel blutiges Papier herum. Sie war also nicht überrascht, als eines Tages auch bei ihr Blut kam, aber sie wußte nicht, was es bedeutete. Niemand hatte ihr jemals gesagt, daß es mit dem Erwachsenwerden zu tun hat, und das hätte die Sache auch gar nicht erleichtert. Schließlich galt man bis zur Heirat sowieso als unwissendes Kind. So ging das Ganze ohne Fragen und ohne Antworten über die Bühne. Und als sie einen Busen bekam, gab es noch etwas, was zu verstecken war.

Als sie sechzehn war und sich verliebte, wußte sie immer noch nicht, was es mit der Beziehung zwischen Männern und Frauen auf sich hat. Sie korrigiert sich hier und meint, sie sei doch schon achtzehn gewesen, sechzehn sei doch ein bißchen früh. Jedenfalls war der betreffende junge Mann ein Schüler in ihrem Schuljahrgang. Sie war Schüler-Funktionärin, und er war Schüler-Berater. Es war um die Zeit, als sie aufs Land geschickt werden sollten. Sie hatten wegen ihrer politischen Funktionen viel miteinander zu tun, aber es hatte, korrigiert sie sich erneut, im Grunde nichts mit Verliebtsein zu tun gehabt. Sie fingen irgendwann an, sich Briefe zu schreiben, viele viele Briefe, sie hat den ganzen Packen heute noch. Jede Woche schrieben sie sich mindestens einen Brief, und alle waren von Anfang bis Ende ausschließlich voll mit Mao-Zitaten. Sie haben sich gegenseitig bestärkt, gut zu lernen, in die Partei aufgenommen zu werden, und in den Jugendverband. Niemals kam irgend etwas anderes darin vor. Und später, als die Mutter einmal argwöhnte, daß da doch irgend etwas mit Gefühlen in dieser Beziehung sei, konnte Yang Bao mit den Briefen das Gegenteil beweisen. Sie selber fand auch gar nicht, daß da ein Gefühl im Spiel war. Andere Leute behaupteten, ihre Freundschaft sei eine Art Liebesbeziehung, aber sie selber fand das nicht. Gar kein Gefühl sei da gewesen, meint sie rückblickend, so daß diese Beziehung auch zu nichts führte, was mit Gefühlen oder gar Sexualität zu tun hatte.

Eines Tages nahm dieser Junge sie mit zu einem anderen Schüler-Funktionär, und da wurde ihr Interesse plötzlich geweckt. Sie hatte damals große Schwierigkeiten, dieses Gefühl, das sie für den anderen hegte, zu definieren. Was war das für ein Gefühl? Es war rätselhaft für sie. Konnte es sein, fragte sie sich, daß man jemanden einfach immer gerne sehen wollte? Sie kam nicht dazu, das Gefühl zu klären. Sie sagt, man habe sich ausgesprochen und geheiratet. Sie hätten ähnliche Ansichten und Ideale gehabt, seien im heiratsfähigen Alter gewesen. Ihre Familie war gegen diese Ehe, weil er bei sehr schlechter Gesundheit war. Ihr Mann war leberkrank. Seine Eltern hingegen befürworteten die Heirat, vermutlich, weil sie eine gute Pflegerin für ihn war. Er war wirklich sehr viel krank.

Damals dachte sie, daß sie ihn lieben würde. Ihren Irrtum begründet sie damit, daß sie keine Erfahrungen mit Gefühlen gehabt habe. Sie hatte wenig Bildung, war politische Funktionärin geworden, in den kommunistischen Jugendverband eingetreten und hatte keine anderen Wünsche und Vorstellungen, als diesen geraden einfachen Weg weiterzugehen. Hinzu kam, daß sie ganz allein in der Stadt war, ihre Familie war auf dem Lande. Ihr zukünftiger Mann hatte dagegen viele Freunde und Bekannte, und vermutlich war es das, was sie an ihm am meisten beeindruckte. Sie glaubt, daß sie sich hauptsächlich deshalb an ihn gebunden habe, um ihre Einsamkeit zu bekämpfen.

Diese Beziehung wurde dann sehr plötzlich unterbrochen. Sie kam ins Gefängnis, mit einundzwanzig Jahren, im Zusammenhang mit der ›Bewegung zur Kritik an Lin Biao und Konfuzius‹ 1976, als Menschen mit vom Kurs abweichenden politischen Meinungen oder mit einem suspekten Umfeld verhaftet und ›umerzogen‹ wurden. Das Leben im Gefängnis sei an sich nicht hart gewesen. Im Vergleich zur Hungersnot in ihrer Kindheit habe es im Gefängnis genug zu essen gegeben. Aber die seelische Belastung war sehr groß.

Der Druck begann damit, daß sie ununterbrochen verhört wurde, immer irgend etwas zugeben sollte, das nicht den Tatsachen entsprach. Sie war im Gefängnis, wo sie zwei Jahre verbrachte, viele Monate lang sehr krank. In diesen zwei Jahren ihrer Haft hat niemand sie besucht. Yang Bao sagt, daß diese Zeit alles in ihrem Leben verändert habe. Sie war gefangengenommen worden wegen ihrer Freunde, nicht weil sie etwas gestohlen oder irgend etwas anderes Unerlaubtes getan hatte, sondern weil sie die falschen Freunde hatte. Sie war wegen ihrer Lebensumstände verhaftet worden. Und die gingen nun ganz kaputt.

Auch nach dem Gefängnisaufenthalt wurde sie wie eine Kriminelle angesehen, mußte in einer Hinterhofwerkstatt mit anderen Frauen arbeiten, denen ebenfalls ein falscher Lebenswandel vorgeworfen worden war. Yang Bao fing an zu lesen und sich weiterzubilden, bis sie Jahre später sogar auf die Hochschule gehen konnte. Sie habe durch die Gefängniszeit und auch hinterher gelernt, daß man sich auf niemanden verlassen könne, wenn es einem schlecht ginge, daß man für sich alleine einstehen müsse ohne Hoffnung auf Hilfe durch andere. Sie hat das Gefühl, daß sie heute allem entgegensehen könnte.

Ein paar Jahre lang hatte sie dadurch eine Art Überlegenheitsgefühl. Sie hatte zwei Jahre Gefängnis ohne jeglichen Rückhalt überstanden, ohne Familie, ohne Freunde, und dann schaffte sie es sogar zur Universität. Ihre Ehe, von den Behörden als politische Mesalliance angesehen, war durch den Gefängnisaufenthalt annulliert worden. Im Gefängnis hatte sie sich manchmal mit dem Gedanken getröstet, daß sie sich später einen Mann suchen wollte, der sie besonders lieben würde. Jeden Tag wollte sie an seiner Seite einschlafen, Rücken an Rücken, das war ihre schönste Vorstellung. Wieder, sagt sie, etwas im Grunde ganz Einfaches.

Mit dem Mann, der sich während der Gefängniszeit von ihr losgesagt hatte, war es zu keinen sexuellen Beziehungen gekommen. Sie war damals auch unwissend und unaufgeklärt gewesen, hatte geglaubt, daß Mann und Frau nur gemeinsam in einem Bett schlafen müßten, um ein Kind zu zeugen. Sie hatte also keine sexuellen Erfahrungen, bis sie ins Gefängnis kam. Nach weiteren zwei Jahren, als sie vierundzwanzig war, lernte sie einen Mann kennen, den sie nett fand. Er war ein guter Mensch, aber es gab keine Möglichkeit, mit ihm zusammenzuleben, denn er war schon verheiratet. Diese Bekanntschaft dauerte fünf oder sechs Jahre. Sie meint, daß sie in ihren Ansichten nicht sehr übereinstimmten, und daß er in ihr nur eine Frau sah, mit der er schlafen konnte, was ihm seine Ehefrau verweigerte.

Die Sexualität mit ihm war weder besonders schön noch besonders belastend. Allerdings war sie nun eine von den berüchtigten ›Dritten, die eine Ehe zerstören‹, was sie jederzeit politisch angreifbar machte. Es war sehr bedrückend für sie, daß ihr nunmehriger Lebenswandel erneut von der Norm abwich. Aber der Mann war gut zu ihr, wenn sie auch bedauerte, mit ihm nicht über all das reden zu können, was sie beschäftigte und belastete. Das wiederum ging mit einem Arbeitskollegen besser, den sie wenig später dann heiratete. Der Weg zur Heirat war kurz und unkompliziert. Beide arbeiteten bei einer Zeitung und unterhielten sich viel über die Arbeit. Da es dieser geistige Austausch war, den sie sich wünschte, war sie schnell mit einer Heirat einverstanden, zumal sie auch schon dreißig Jahre alt war. Der Mann war nicht bei guter Gesundheit, was sie aber nicht störte.

Wegen ihres Alters und weil sie jungverheiratet war, hätte sie jederzeit ein Kind bekommen dürfen, aber sie wollte keine Kinder. Statt dessen hatte sie in den ersten Ehejahren zwei Abtreibungen. Sie wollte zunächst kein Kind, denn sie empfand ihre Ehe recht bald als nicht gut genug dafür. Es stellte sich heraus, daß ihr Mann im Grunde still und in sich gekehrt war und mit Depressionen und Selbstmordgedanken zu kämpfen hatte. Tatsächlich hat er bereits einen Selbstmordversuch gemacht. Sie beklagt, daß er tagelang schweigen kann, und daß es nach einem Streit sogar noch länger dauert, bis er wieder mit ihr spricht.

Sie ist diejenige, die das Gespräch wieder in Gang bringen muß. Schließlich, mit vierunddreißig, wurde sie erneut schwanger und entschied sich diesmal für das Kind. Die sexuelle Beziehung ist seither völlig eingeschlafen, und wenn er noch versucht, sie anzufassen, flüchtet sie gleich aus dem Bett aufs Sofa. Sie leidet sehr darunter, daß sie nicht weiß, was sie machen soll, wenn sie in einem Bett liegen. Es ist nicht so, daß sie gar nicht mit ihm schlafen will, aber jedes Mal, wenn er es versucht, reagiert sie mit Panik. Sie setzt dann so eine Rühr-mich-nicht-an-Miene auf, damit er gleich Bescheid weiß. Eigentlich will und sucht sie etwas ganz anderes als Sexualität.

Sie denkt auch an Scheidung, obwohl sie theoretisch der Ansicht ist, daß sie den Mann doch noch mag. Sie will aber das Leben, so wie es jetzt ist, nicht mehr weiterleben. Alle raten ihr, sie solle das Kind zum Zentrum ihres Lebens machen, an das Kind denken und die Ehe weiterführen. Das Kind zu kriegen, sei der größte Fehler ihres Lebens gewesen. Ohne Kind würde sie sich vielleicht doch scheiden lassen, ohne Kind könnte sie ein einigermaßen gutes Leben alleine führen, oder vielleicht doch noch einen anderen Mann kennenlernen. Es sei nicht so, daß sie den Sohn nur als Last empfinde, oder daß sie sich nur seinetwegen nicht scheiden lasse.

Sie glaubt so sehr daran, daß jeder Mensch für sich alleine existiert und die Probleme des Lebens alleine ausfechten muß, da sind die Eltern, geschieden oder nicht, nicht das Wichtigste. Es ist nur so, daß sie seit der Geburt des Sohnes vor drei Jahren kein Interesse mehr an anderen Menschen verspürt. Schon gar nicht an Männern. Sie fühlt sich sehr alt und geschlechtslos, nicht als Frau. Sie ist völlig erschöpft und fühlt ihre Kräfte schwinden.

Sie sagt, daß sie nur für ein oder zwei Stunden in der Nacht lebt, in denen sie wach ist und gar nichts tut und ihren Gedanken nachhängt. Den Sohn hat sie jetzt in einen Wochenkindergarten gegeben, er kommt nur am Wochenende nach Hause. Sie wünscht, daß er selbständig wird und möchte ihn nicht verzärteln. Deshalb nimmt sie ihn nur sehr selten auf den Arm. Er hat auch von klein auf alleine geschlafen. Wenn sie bedenkt, daß sie alles alleine macht – ihr Mann ist krank und oft im Krankenhaus; außerdem hilft er ihr aus Prinzip nicht – dann findet sie, daß sie es doch ganz gut macht. Allerdings sei sie oft sehr traurig.

Zhang Yimin

35, Lehrerin

Zhang Yimin wurde 1955 geboren. Ihre Mutter ist an Leberkrebs gestorben, als sie drei Jahre alt war. Sie erinnert sich, daß die Mutter sie damals umarmt und zu ihr gesagt habe: »Ich muß jetzt sterben, und euer Vater hat nun vier Kinder. Er wird sich gewiß eine neue Frau suchen.« Das hat er dann später auch getan, und für die Kinder war es, wie in China üblich, ein Stigma, daß sie eine Stiefmutter hatten, es war ein großes Problem. Als die Mutter tot war, hat die Armee – der Vater war Armeeangehöriger – eine Kinderfrau ins Haus geschickt, weil der Vater häufig sehr weit entfernt von zu Hause stationiert war.

Die Woche über waren alle Kinder in einem Armee-Internat und kamen nur zum Wochenende nach Hause, wo dann die Kinderfrau war. Keines der Kinder wollte die neue Mutter, aber Yimin als Jüngste gewöhnte sich doch noch am schnellsten an sie und schlief auch bei ihr im Bett. Ansonsten habe sich die neue Mutter gar nicht um die Kinder gekümmert, so daß sie relativ frei und unbeschränkt durch Verbote aufwuchsen, allerdings auch recht einsam. Die Diskrepanz im Verhalten des Vaters, der zu anderen immer sehr freundlich, zu Hause aber jähzornig und gewalttätig gewesen sei, habe sie früh bemerkt. Er hat die Kinder geschlagen, wenn sie z. B. in der Armee-Schule schlechte Noten bekamen.

Die neue Frau des Vaters bekam noch zwei eigene Kinder, denen dann ihre hauptsächliche Sorge galt. Nach seiner erneuten Verheiratung hatte der Vater noch weniger Zeit für die vier Kinder aus erster Ehe, so daß sich im Grunde keiner so recht mehr um sie kümmerte. Yimin galt als ein wildes und unruhiges Kind. Sie erinnert sich, daß sie häufig während des obligatorischen Mittagsschlafes von der Schule weglief. Wenn der Vater das erfuhr, bekam sie Schläge. Und immer, wenn der Vater sie kritisierte, ließ sie hinterher ihre Wut an der Stiefmutter aus. Es gab viel Krach zu Hause, auch die Eltern stritten viel und heftig. Es gab zwischen ihnen keine freundlichen Gesten, aber Zhang Yimin meint, daß das generell in China auch gar nicht üblich sei. Das Gegenteil wäre merkwürdig gewesen. Einmal habe sie beobachtet, wie die Stiefmutter dem Vater beim Duschen zugesehen habe, und sie habe gedacht: ›Wie merkwürdig, jemand anderem beim Waschen zuzusehen, der muß doch ganz nackt sein.‹ Das wirkte befremdlich auf sie.

Über Körperliches wurde gar nicht gesprochen. Sie erinnert sich, daß sie die erste Menstruation sehr spät bekam. So spät, daß die Stiefmutter offenbar schon darauf gewartet hatte, denn sie nahm manchmal ein Handtuch und wischte ihr damit zwischen den Beinen herum und guckte und murmelte: »Das muß doch mal kommen... dann wirst du auch nicht froher sein, aber es muß doch mal kommen.« Als es dann kam, dachte sie sich gleich, daß es das war, was die Stiefmutter erwartet hatte. Sie erzählt, wie sie einmal mit der Schulklasse auf dem Land zum Arbeitseinsatz gewesen und von der Lehrerin gefragt worden sei: »Na, ist es bei dir schon gekommen?« Sie habe das nicht verstanden und zurückgefragt: »Was soll gekommen sein?« – »Nun«, habe die Lehrerin geantwortet, »das Pech.« Da habe sie auf jeden Fall erst mal ›nein‹ gesagt, auch wenn sie keine Ahnung gehabt hätte, um welches Pech es sich handeln sollte.

Als sie dann schließlich endlich ›Pech‹ hatte, war sie froh, daß das Fragen und Wischen ein Ende nahm. Sie erschrak zwar nicht, wußte aber auch nicht, was es zu bedeuten hatte. Über nichts wurde gesprochen. Auch als ihr Busen anfing, sich zu entwickeln, redete niemand darüber. Es wäre ja gerade darum gegangen, daß andere davon möglichst nichts bemerkten. Es hätte als schlimm und unanständig gegolten, wenn man noch extra darauf hingewiesen hätte, etwa durch entsprechende Kleidung. Sie war froh, daß sie nur einen kleinen Busen kriegte, ein größerer wäre schlimmer gewesen. Beim Duschen im Gemeinschaftswaschraum habe sie immer etwas vergleichen können, und die meisten anderen hätten im Vergleich viel mehr Busen als sie gehabt, und darüber sei sie immer froh gewesen.

Insgesamt sei sie früher mit Jungen besser zurechtgekommen als mit Mädchen. Mädchen hätten sich immer zu viele Gedanken um Unwichtiges gemacht, sie seien ständig mit sinnlosen Sachen beschäftigt gewesen, und man habe auch aufpassen müssen, daß man sie nicht beleidigte, was schon durch ein einziges Wort passieren konnte. Die Gesellschaft von Jungen fand sie unkomplizierter. Sie konnte mit Jungen spielen, weil die Stiefmutter sich nicht besonders um die Erziehung kümmerte. Sie erinnert sich aber nicht daran, daß sie als Kind etwa lieber ein Junge gewesen wäre. Der Unterschied sei ihr auch weder ganz klar, noch wichtig gewesen. Erst als sie ihre Tage bekam, wollte sie definitiv lieber ein Mann sein. Auch wäre sie gerne zehn Zentimeter größer, dann würde sie sich selbstbewußter und schöner finden.

Mit vierzehn Jahren habe sie einen Jungen in ihrer Schule sehr hübsch gefunden. Seine Familie war auch eine Armeefamilie. Er war hochgewachsen und sah gut aus. Damals schickten auch andere Jungen ihr Briefe und wollten auf diese Weise Kontakt zu ihr aufnehmen, aber sie machten keinen Eindruck auf Zhang Yimin. Dieser eine Junge, für den sie heimlich schwärmte, wurde später als Soldat in die Armee aufgenommen, er war beruflich und politisch sehr akzeptabel. Eine Freundschaft mit ihm hätte vom jeweiligen familiären Hintergrund her ganz gut gepaßt, aber später hätte sie ihn dann doch zu groß für sich gefunden, im körperlichen Sinne. Sie glaubt, daß so viele Jungen an ihr interessiert waren, habe daran gelegen, daß sie so unabhängig und temperamentvoll gewirkt habe, anders als andere Mädchen, die darauf gewartet hätten, daß man ihnen sagt, was sie tun sollten.

An der Universität später hatte sie einen Freund. Anfänglich habe sie ihn eher für dumm gehalten, aber seine Körpergröße sei genau richtig gewesen. Von der Statur her gefiel er ihr auf Anhieb. Ihre jeweiligen Eltern waren miteinander bekannt, und die Eltern waren der Meinung, daß sie mit diesem Studenten eine richtige Freundschaft pflegen sollte. Aber auch für diese Beziehung tat sich ein politisches Hindernis auf, denn sie war zuvor in die Partei aufgenommen worden und politisch sehr strebsam, während er das nicht war.

Der Gedanke, daß sie eine Art politischer Anleiterin für ihn gewesen wäre, behagte ihr gar nicht. Sie ist der Meinung, daß die Frau in keiner Weise dem Mann voraus sein sollte. Sie und der Mitstudent gingen hin und wieder zusammen spazieren und verstanden sich in ihren Meinungen und Ansichten gut. Es lief alles ganz korrekt, anständig, ohne Körperkontakt. Sie habe zwar schon Gedanken daran gehabt, aber sie habe stets aufgepaßt, daß niemand etwas von diesen Vorstellungen ahnte.

Ihr ganzes Äußere habe mit aufgepaßt, sie habe sich immer sehr kühl und streng benommen. Schon damals hatte sie den Eindruck, daß diese Fassade zu ihrem Inneren gar nicht paßte, denn sie sehnte sich im Grund nach Wärme und seelischer Unterstützung. Aber es sei eben nicht gegangen, solche Wünsche zu äußern. Später änderte sie auch über diesen jungen Mann ihre Meinung und fand, daß er in zu vielen Dingen von seiner Familie beeinflußt war. Am meisten war sie enttäuscht, daß er nicht in der Lage gewesen war, sein Gefühl für sie auszudrücken, zu beschreiben.

Sie wollte von ihm wissen und hören, wie sehr er sie liebte, wie er früher gewesen sei, und wie die Liebe zu ihr ihn verändert habe, welchen Effekt die Liebe auf ihn gehabt habe. Sie konnte sich nicht vorstellen, ihm körperlich nahezukommen, ohne daß er ihr gesagt hätte, daß er sie liebte, aber er sagte nichts. Heute vermutet sie, daß ihre äußerliche Selbständigkeit und Unnahbarkeit ihm Angst gemacht haben. Sie löste die Freundschaft auf und war eine Weile traurig und niedergeschlagen.

Lange Zeit gab sie die Suche nach einem Freund auf. Später, als sie Mitte zwanzig war und ihr Studium beendet hatte, sollten ihr wieder etliche Männer vorgestellt werden. Sie wollte aber, wenn überhaupt, doch lieber selber einen Mann suchen, denn sie sah in einer zufälligen und freiwilligen Begegnung ein gutes Omen für die gemeinsame Zukunft. Zumal unter den vorgeschlagenen Männern keiner dabei war, der ihr gefiel, zu dem sie, körperlich gesprochen, hochschauen konnte.

Zhang Yimin ist der Meinung, daß der Charakter

eines Menschen sich in seiner Körpergröße spiegele, daß innere und äußere Größe in Verbindung stehen. Die körperliche Größe des Mannes gibt ihr zusätzlich das sichere Gefühl, sich an ihn anlehnen, sich auf ihn verlassen zu können. Dieses Gefühl ist wichtig für sie, obgleich sie, wie sie wiederholt meint, auf alle Menschen so selbstsicher und bedürfnislos wirke, streng und stark. Das sei aber nur ihre äußere Fassade. Jedenfalls hätte sie sich niemals in einen Mann verlieben können, der nicht groß genug gewesen wäre.

Ihren jetzigen Ehemann lernte Zhang Yimin dann doch dadurch kennen, daß ein Bekannter in seinem Namen einen Brief an sie schrieb. Sie kannte den Mann, um den es ging, schon und fand das mit dem Briefeschreibenlassen durch Dritte eigentlich nicht gut. Aber wie hätte es anders gehen sollen, denn ihr späterer Mann stammte aus einer sehr armen bäuerlichen Familie in den Bergen und hätte sich von sich aus nie getraut, sie, die Tochter eines hohen Armeeangehörigen, anzusprechen. Vor der Hochzeit hatte sie keine Ahnung über die Abläufe der körperlichen Liebe.

In ihren Tagträumen hatte sie höchstens einmal an Umarmungen gedacht, anderes konnte sie sich gar nicht vorstellen, weil sie nichts davon wußte. Oder, verbessert sie sich, doch, sie hätten sich vor der Hochzeit einmal geküßt, ganz ernst und streng, wie das eben ihre Art gewesen sei. Auch ihr Mann sei nach außen hin ein ernster Typ. Sie hätten beide so getan, als wäre ein Kuß nichts Besonderes, aber innerlich habe sie furchtbare Angst gehabt, sie sei fast vergangen vor Angst. Er hatte sie häufig nach ihrem Unterricht – sie war damals schon Lehrerin – an der Tür des Klassenzimmers erwartet, und schon davor hatte sie immer Angst. Sie habe sich gefragt, wohin das führen könnte; sie wurden oft zusammen gesehen, und die Leute redeten über sie.

Es war ihr sehr wichtig, als Jungfrau in die Ehe zu gehen. Aber sie wußte nicht genau, ab wann die Unschuld einer Frau als verloren galt. Es war ihr wichtig, daß er ihr Moralgefühl nicht verletzte und sie als Frau respektierte, und das war jedesmal bedroht, wenn er sie an der Tür erwartete. Insofern habe sie die Heirat herbeigesehnt.

Nach der Hochzeit habe sie festgestellt, daß der Charakter ihres Mannes zum Glück gut sei, daß er wirklich, wie seine Körpergröße ihr versprach, ein guter Mensch sei. Wichtig war ihr bei der Partnersuche auch gewesen, daß ihr zukünftiger Mann im Beruf mindestens so erfolgreich wie sie und im Benehmen ihr gegenüber warmherzig und freundschaftlich sein sollte. Auch damit habe sie Glück gehabt. Das innige Verhältnis zwischen ihr und ihrem Mann würde sich beispielsweise darin ausdrücken, daß sie, wenn sie etwas besonders Gutes zum Essen habe, ihm das gerne überlasse. Wenn man also etwas, was man selber gerne hätte, dem anderen abtritt. Wenn die Beziehung zwischen den Eltern gut sei, würden auch die Kinder davon lernen und selber besonders liebenswert werden.

Ihr Mann kümmert sich auch mehr um die gemeinsame Tochter, als sie zu hoffen gewagt hat und ist keineswegs nur ein Bücherwurm, wie sie anfänglich noch befürchtet hatte. Zum Glück seien Frauen anders als Männer, sagt Zhang Yimin. Bei Männern zähle immer der erste Blick. Entweder stimme es da oder nicht. Bei Männern würde sich nicht viel entwickeln. Wenn sie mit der Ehe zufrieden seien, dann bliebe das auch so. Sie strengen sich dann nicht weiter an. Aber bei Frauen könne sich glücklicherweise etwas im Gefühl entwickeln. Da könne aus einer Bekanntschaft, die aufgrund von wenigen äußeren Kriterien zustande gekommen sei, nach einer Weile Liebe werden.

Sie selbst hat geheiratet, nachdem sie ihren Mann gerade drei Monate kannte. Mehr Zeit gab sie sich nicht, denn mit sechsundzwanzig Jahren fand sie, war es höchste Zeit, zu heiraten. Sie findet, daß sie mit ihm Glück gehabt habe, daß er ein Familienmensch sei, ruhig, etwas langsam vielleicht, aber dafür beunruhigt sein Temperament sie nicht. Er sei eher passiv in allem und sie die Aktivere. Insofern würden sie nicht ganz ideal zusammenpassen. Die sexuelle Beziehung zwischen ihnen, berichtet Zhang Yimin, habe sich allerdings sehr schnell entwickelt. Kaum hatten sie beschlossen zu heiraten und den amtlichen Antrag gestellt, da haben sie schon, noch bevor sie die Bestätigung und den Ehepaß bekamen, miteinander geschlafen. Das ging so schnell, sagt sie, weil sie es ihm nun nicht mehr hätte verweigern müssen. Sie habe sich schon quasi richtig verheiratet gefühlt. Der ›moralische Wandschirm‹ im Kopf sei auf einmal weggewesen, denn mit dem Ehemann sei es ja endlich erlaubt.

Wang Ming
30, Technikerin

Wang Ming wurde 1961 geboren und bedauert, daß sie nur wenige Kindheitserinnerungen hat. Sie glaubt, daß ihre Eltern sich zunächst ganz gut verstanden haben, aber warum sie das glaubt, weiß sie nicht genau. Es sei ja so, daß Vater und Mutter in China vor den Kindern gar keine Beziehung haben, man merke nichts davon, daß sie ein Ehepaar oder gar ein Liebespaar seien. Es gibt keine sinnfälligen Beweise, daß sie Menschen mit Gefühlen füreinander sind, oder daß es eine körperliche Beziehung zwischen ihnen geben könnte. Andererseits, sagt Wang Ming, seien die Wohnungen so klein, daß die Eltern eigentlich immer mit den Kindern in einem Zimmer schlafen müßten, rein zufällig könnten Kinder dann natürlich etwas mitbekommen vom Sexualleben der Eltern. Sie selbst hatte keinerlei Begriff davon, es gab keine Worte dafür. Das Wissen darüber fehlte ihr hundertprozentig.

Als sie ungefähr fünfzehn Jahre alt war, wurde die Beziehung der Eltern deutlich schlechter. Wang Ming meint, daß die Mutter früh in die Wechseljahre gekommen sei, mit vierzig etwa, und daß sie dann nicht mehr mit dem Vater habe schlafen wollen. Sie mochte es nicht mehr. Wang Ming erinnert sich an Streits, und daß der Vater nach solchen Auseinandersetzungen manchmal wohl zu anderen Frauen gegangen, worüber die Mutter sehr wütend gewesen sei. Sie selber begriff die Zusammenhänge nicht, erst jetzt als Erwachsene, selber verheiratet, macht sie sich manchmal Gedanken über die Eltern.

Sie erinnert sich nicht, jemals von den Eltern angefaßt worden zu sein. Es gab keinen körperlichen Kontakt, sie hätte es auch nicht gemocht. Besonders hätte sie es vom Vater nie toleriert, weil sie den Vater nicht mehr mochte, seit er die Mutter so schlecht behandelte. Generell sei es in China so, daß etwa ab dem Schulanfang Kinder von der Mutter nicht mehr umarmt oder auf den Arm genommen würden. Spätestens dann hört die Mutter damit auf. Sie gestattet es sich nicht mehr, obgleich kleine Kinder, davon ist Wang Ming, seit sie selber ein kleines Kind hat, überzeugt, Körperkontakt brauchen. Sie selber als Mutter hat es auch gern.

Wenn sie heute nach Hause zu den Eltern kommt, und der Vater zur Begrüßung mit der Hand ihr Gesicht berührt, wie er es üblicherweise tut, dann hat sie Ekelgefühle. Aber, so sagt sie, unter dem Ekel gibt es ein anderes Gefühl, das sehr schwer zu beschreiben sei. Ein Gefühl, das von früher her kommt. Sie erinnert sich, daß sie als Kind immer gehofft hat, er würde sie berühren. Aber sie hatte, seit sie in die Schule gekommen ist bis zur ersten Liebe, mit keinem Menschen Körperkontakt mehr. Diese Art der Zuneigungsbezeugung gäbe es in China einfach nicht, das sei verpönt und gelte als verdorben. Und dabei empfindet sie sich als einen Menschen, der das braucht. In der Pubertät hat sie sexuelle Erregung erlebt, was sie aber damals nicht so hätte bezeichnen können. Erst jetzt weiß sie, was das war, damals wußte sie das Gefühl nicht einzuordnen — war das normal? war das etwas Falsches?

Sie konnte sich angenehme Körpergefühle verschaffen, indem sie die Beine fest zusammendrückte. Als Kind hat sie das oft gemacht, sie hat es immer wiederholt, nachdem sie es einmal erlebt hatte. Niemand hatte ihr das beigebracht, schließlich spricht in China niemand über solche Dinge. Sie hatte es alleine herausgefunden und ständig in der Angst gelebt, Vater und Mutter könnten Verdacht schöpfen. Nun als Erwachsene weiß sie, daß es eine Form der Selbstbefriedigung war, zu der nur Frauen fähig sind. Ihrer Meinung nach könne ein Mann nur beim Geschlechtsverkehr sexuelle Lust und Befriedigung erleben, Frauen dagegen auch auf diese einfache Weise.

Die Menstruation war für sie wie eine mysteriöse Krankheit. Es dämmerte ihr zwar, daß das irgendeine Bedeutung haben könnte, aber es gab keine Klarheit darüber. Andererseits veränderte sich dadurch etwas in ihrer Haltung zu Jungen, aber auch das blieb undeutlich. Sie erinnert sich in dem Zusammenhang, daß damals Jungen in der Schule hin und wieder den Namen eines anderen Jungen mit dem Namen eines Mädchen verbanden und beide Namen hintereinander riefen, immer wieder, als gehörten die Namen zusammen. Alle Jungen lachten und kicherten, nur die, deren Namen gerufen wurden, lachten nicht. Als sie das erste Mal ihre Tage bekam, war ihre Mutter auf Reisen. Wang Ming sagte ihrem Vater Bescheid, weil sie beunruhigt war. Er sagte darauf gar nichts, aber er schimpfte auch nicht, was sie befürchtet hatte. Sie erinnert sich nicht, bemerkt zu haben, daß sie einen Busen bekam.

Als Kind hatte sie niemals mit Jungen zu tun. Erst in der Mittelschule habe sie entdeckt, daß Jungen ›hübsch und vollkommen‹ seien. In China kriege man ja nicht gesagt, wie Jungen aussehen, Geschlechtsorgane, Hintern, Beine, das sage einem niemand, daß es da einen Unterschied zu Frauen gebe und erst recht nicht, daß das schön sei. Sie hatte einen Mitschüler, der sehr schön kalligraphieren konnte, und in seine Hände war sie regelrecht verliebt, so schön habe sie die gefunden. Sie selbst hat ein schmerzhaftes und schlimmes Erlebnis mit ihren Händen gehabt: Ihr Vater war sehr streng. Einmal stand ein Topf mit Milch auf dem Herd, die zu kochen begann. Man hätte die Flamme schnell ausdrehen müssen, damit die Milch nicht überkocht, aber sie traute sich nicht, weil sie Angst vor dem Überkochen hatte. Der Vater stand dabei und schimpfte, wie nutzlos sie doch sei! Er tauchte zur Strafe ihre ganze Hand in die kochende Milch. Die Hand war vollkommen verbrannt.

Der Vater schimpfte häufig. Sie war ein lebhaftes Kind, erinnert sie sich, und liebte Spiele mit viel Bewegung. Sie haute auch gerne, so zum Spaß, was der Vater nicht verstand. Er beschimpfte sie jedesmal als ›stinkend‹, was als Schimpfwort im Chinesischen so etwas wie ›charakterlich schmutzig‹ bedeutet. Sie sollte dann zugeben, daß sie ›stinkend‹ sei, und wenn sie sich weigerte, jagte der Vater sie aus dem Haus. Dieses Davongejagtwerden empfand Wang Ming als weit schlimmer als jede körperliche Strafe. Es gab wenig menschliche Wärme zu Hause. Das einzige, was zählte, war die Arbeitshaltung und die Leistung. Auch später auf der Universität wurde nichts anderes anerkannt, so daß sie sich selbst sehr unter Leistungsdruck setzte.

Ihre Mutter erlebt sie ganz anders als den Vater. Sie sei in sich gekehrt und still, weine leicht, finde nur schwer Anschluß. Auch die Mutter arbeite viel und gewissenhaft, sei dabei überängstlich und finde daher auch nicht den Mut, sich vom Vater zu trennen, obgleich sie die Heirat selbst schon lange als einen Fehler ansieht. Er läßt seine Launen an der Mutter aus. Er schlägt sie häufig und hart. Sie findet, daß ihre Mutter sehr unterdrückt ist, auch in ihren Gefühlen. Dabei merke man ihr an, daß sie neugierig sei. Die Mutter wolle auch mit ihr, der Tochter, über vieles sprechen, auch über Sexualität. Das wiederum möchte Wang Ming nicht, weil sie sich nicht vorstellen kann, ausgerechnet mit der Mutter darüber zu reden. So habe die Mutter absolut niemanden, mit dem sie sprechen könne.

Eine Scheidung kommt für die Mutter nicht nur deshalb kaum in Frage, weil sie nicht wüßte, wo sie dann wohnen sollte, sondern auch, weil sie sich als Person dann unvollständig fühlen würde. Eine Frau ohne Mann, das geht in China einfach nicht. Und so ließe sich die Mutter lieber täglich beschimpfen und häufig schlagen. Nach innen sei es eine Katastrophe, unter der die Mutter sehr leide, aber nach außen spiele sie die Frau mit zwei netten Töchtern und einem Mann.

Aus der Ehe ihrer Eltern hat Wang Ming zwei Schlußfolgerungen für sich gezogen: Niemals einen Mann zu heiraten, der an den Vater erinnert, und sich sofort scheiden zu lassen, wenn es ähnlich schlimm wird wie zu Hause. Ja, sie würde sich scheiden lassen, sie würde es sich zutrauen, alleine zu leben. Sie hat es nicht mehr nötig, sich an einen Mann zu klammern. Während ihrer Studienzeit, als die ideologische Erziehung Kontakte zum anderen Geschlecht nicht gestattete, hatte Wang Ming sich mit Frauen angefreundet. Mit einer Freundin verstand sie sich so gut, daß sie sich schließlich Sorgen machte über das Wesen dieser Freundschaft. War da nicht zuviel Nähe zu dieser Frau? Auch heute noch, wenn sie daran denkt, macht sie sich Gedanken, ob sie vielleicht homosexuelle Neigungen hat. Sie stellt sich vor, daß es wegen ihrer strengen Erziehung für sie leichter wäre, eine Frau zu berühren.

Ende der siebziger Jahre war das politische Klima liberaler, und das veränderte auch die Beziehungen zwischen Männern und Frauen. Wang Ming lernte einen fünf Jahre älteren Mann kennen, mit dem sie häufig Ausflüge in die Berge machte. Wenn er sie streichelte oder küßte, spürte sie Angst und Erregung gleichzeitig. Sie hielt die Luft an und dachte: ›Gut, ich kann das aushalten, daß er mich überall anfaßt.‹ In den chinesischen Romanen, von denen sie damals viele gelesen hatte, kam so etwas allerdings nie vor. Dort drückte sich Liebe nur in Worten aus und so, dachte sie, müsse es auch sein: Liebe sind doch Worte. Sie geriet in Panik, wenn er mehr wollte und ist dankbar, daß er sie nie zum Geschlechtsverkehr gezwungen hat.

Sie schlief nicht mit ihm und hielt sich an die alte Spruchweisheit ›Wenn du vor der Ehe mit dem Mann schläfst, wird er dich in der Ehe dafür bestrafen.‹ Andererseits sehnte sie sich sehr bewußt nach Berührung, war geradezu ausgehungert danach. Die Angst raubte ihr die Möglichkeit, die Nähe zu diesem Freund zu genießen. Sie fürchtete sich auch vor Schwangerschaft, und so zog sie sich während seiner Zärtlichkeiten innerlich immer weiter zurück, bis sie einen Vorwand gefunden hatte, ihn abzuweisen.

Als er sie seinen Eltern vorstellen wollte, willigte sie ein und übernachtete auch dort. Sie wußte, daß der Mann gerne bei dieser Gelegenheit mit ihr schlafen wollte, aber sie wollte nicht. Sie schlief in einem anderen Zimmer und machte kein Auge zu. Sie hörte ihn nebenan immer herumlaufen und seufzen. Am nächsten Morgen hatte er ein ganz rotes Gesicht, so daß sie Angst bekam vor ihm. Seither glaubt sie, daß Männer wie Tiere sind, wie Wölfe. Da sei nichts Romantisches, wie in ihren Liebesromanen. Sie meint, Männer müsse man unter Kontrolle halten, damit sie nicht die Beherrschung verlören. Immer wenn sie sich trafen, wollte er etwas Sexuelles von ihr.

Als er schließlich begriffen hatte, daß sie nicht wollte, habe er die erstbeste Frau geheiratet, die bereit gewesen sei, mit ihm ins Bett zu gehen. Diese Ehe ist sehr unglücklich, und Wang Ming fühlt sich verantwortlich dafür. Wäre sie nicht so zaghaft gewesen, meint sie, wäre er heute nicht so unglücklich. Als sie ihrerseits schon verheiratet war, und er sie noch einmal besuchte, schlief sie mit ihm, als Wiedergutmachung sozusagen und wegen ihres schlechten Gewissens. Sie mochte ihn gar nicht mehr, fand seinen Körper abstoßend, es war für sie ein rein biologischer Vorgang ohne Gefühl.

Ihr eigener Mann ist zur Zeit, für zwei Jahre, im Ausland. Sie hat Sehnsucht nach ihm, sagt Wang Ming, obgleich sie auch seinen Körper nicht ideal findet. Er sei ihr zu dick, und dicke Männer könne sie nicht gut leiden. Sie habe ihn aus zwei Gründen geheiratet, einmal weil er einen interessanten Beruf habe und sie immer einen Mann mit solch einem Beruf – er muß viel verreisen – hätte haben wollen; zum anderen habe sie heiraten müssen, weil sie nur auf diese Weise sich und dem Mann, den sie in Wirklichkeit liebte, hätte klarmachen können, daß es nichts werden könne mit ihnen beiden, denn jener andere war verheiratet. Sie schätzt ihren Mann als Person und wegen seines ruhigen Wesens, das ihn von ihrem Vater unterscheidet. Als sie sich kennenlernten, wollte er ihr seine vergangenen Liebesaffären erzählen, und Wang Ming sagte, das wolle sie nur hören, wenn er sie heirate.

So seien die Männer, sie müßten immer gleich mit allem herausplatzen und nennten das dann Ehrlichkeit. Frauen dagegen könnten Geheimnisse lange Zeit für sich behalten. Sie ist mit ihrer Ehe nicht sehr zufrieden, gerade auch mit der Sexualität nicht. Sie habe noch nie einen Orgasmus, noch nie das schöne Gefühl gehabt, das sie sich früher schon habe alleine verschaffen können. Sie glaubt, daß es mit einem Mann nie so schön werden könne.

Dennoch versucht sie, die Sexualität mit ihm so gut es geht zu genießen und es nicht so sehr zu problematisieren. Zumal sie denkt, daß auch ihr Mann in dieser Beziehung mit ihr nicht zufrieden ist. Er schaut sich häufig pornographische Zeitschriften an, und Wang Ming fühlt sich dadurch unter Druck gesetzt. Es sei eine Belastung und eine Verletzung der ehelichen Beziehung, wenn der Mann etwas Ähnliches, was er da gesehen habe, von der Frau fordere, und sie die dort abgebildeten Handgriffe nicht so gut beherrsche wie auf den Bildern. Sie wisse zugegebenermaßen nicht viel über Sexualität, aber wenn sie mit ihrem Mann solche Zeitschriften oder Filme angucken müsse, die noch dazu in einer fremden Sprache seien, dann denke sie, daß das, was die da auf den Bilden machten, doch in Wirklichkeit gar nicht funktionieren könne. Die machten einem doch etwas Unmögliches vor.

Viele ihrer Freundinnen, sagt Wang Ming, sind gefühlskalt. Sie bräuchten Hilfe, auch Hilfsmittel, und einige guckten sich solche Filme an, in der Hoffnung auf guten Rat. Aber das hilft ihnen überhaupt nicht weiter, im Gegenteil. Was sie da sehen, übersteigt ihre Wünsche und Fähigkeiten bei weitem. Als müsse man wie eine Prostituierte Sexualität lernen. Viele Frauen, die Wang Ming kennt, haben große Problem mit der Sexualität. Eine Arbeitskollegin zum Beispiel habe vor der Hochzeit zu ihrem Verlobten gesagt: Gut, wir können heiraten, aber so was machen wir nicht.

Diese Frau war durch Erzählungen von Freundinnen über die Hochzeitsnacht so erschrocken, daß sie sich erst ein Jahr nach der Hochzeit getraut habe, mit ihrem Mann zu schlafen. Diese Ehe sei gar nicht schlecht, aber Sexualität spiele dort überhaupt keine Rolle. Viele Frauen in China, sagt Wang Ming, lebten nach dem Motto: Der Körper ist dein Feind, und ein fremder Körper ist eine Gefahr. Sie selbst sei noch nicht abgeschreckt, sie würde sich weiterhin für Sexualität interessieren und den Genuß darin suchen. Wenn es ihr schlecht geht, wenn sie Streit mit ihrem Mann hat, dann denkt sie an den Abschiedsbrief, den sie als Studentin geschrieben hat, als sie sich aus Einsamkeit und Verzweiflung umbringen wollte. Dieser Brief hilft ihr noch heute.

Shen Mei
28, Angestellte

Shen Mei wurde 1963 geboren. Sie hat ihre Mutter einmal gefragt, wie denn die Eltern sich kennengelernt haben. Es sei beim Essenmarken-Ausleihen in der Kantine der Fabrik gewesen. Der Vater habe sich welche von ihr ausgeliehen und sie nie wieder zurückgegeben. Mehr weiß Shen Mei über die Geschichte ihrer Eltern nicht. Die elterliche Ehe war ihrer Meinung nach nicht besonders gut, was sie aus den vielen Streitigkeiten, die sie miterlebte, schließt. Obgleich sie sich sehr heftig und lautstark gestritten haben, hätten sie sich doch nie scheiden lassen, also, meint Shen Mei, wird es so schlimm nicht gewesen sein. Wie es mit der Sexualität war bei den Eltern, hätte sie nicht fragen können, man hätte sie für verrückt erklärt. Niemand hat davon je etwas durchblicken lassen, geschweige denn darüber gesprochen. Bis sie selbst geheiratet hat und es am eigenen Leib erlebte, habe sie nichts darüber gewußt.

Mit drei Jahren kam sie in einen Wochenkindergarten, der weit weg von zu Hause war. Sie litt dort sehr unter Heimweh. Noch heute, wenn sie sich nach einem Besuch bei ihren Eltern wieder verabschieden muß, fühlt sie sich sehr schlecht. Ihre Kindheit verlief nach ihren Erinnerungen in einem gleichförmigen einfachen Rhythmus, obwohl das damalige politische Leben sehr chaotisch war. Ihre Kindheit schien von den Ereignissen der Kulturrevolution kaum berührt.

Sie erinnert sich, daß sie sich etwa mit vierzehn Jahren einmal in einen Mann im Fernsehen verliebte. Sie fand ihn schön, weil er großgewachsen war. So einen wollte sie einmal kennenlernen, so einen wollte sie später heiraten. Mit zweiundzwanzig ging sie aus einer Sehnsucht heraus tanzen, ein Freizeitvergnügen, was politisch gerade wieder gestattet worden war, in der Hoffnung, dort einen Mann wie im Fernsehen zu treffen. Und sie stellte sich vor, wie er sie, wie im Film, in den Arm nähme. Ihre Eltern hat sie einmal dabei ertappt. Sie war, ohne anzuklopfen, in deren Zimmer getreten und hatte gesehen, daß der Vater auf der Mutter lag. Die Eltern seien furchtbar erschrocken gewesen, aber sie selber nicht.

Ihren Mann hat sie dann beruflich kennengelernt, er arbeitete im selben Unternehmen in einem anderen Büro. Sie wurde auf ihn aufmerksam, weil er tatsächlich so gutaussehend wie der Mann im Film war. Sie war es dann auch, die die Initiative ergriffen hat. Er schien sie auch zu mögen, sie glaubt, daß er ein eher kollegiales Gefühl zu ihr hatte, und deshalb schien es ihr geraten, selber den Anfang zu machen. Kaum hatte sie ihm einen entsprechenden Brief geschrieben, kam er auch schon in ihr Büro. Sie war damals fünfundzwanzig Jahre alt. Sie kannten sich ein Jahr und zwei Monate, als sie schließlich heirateten. Das sei eine relativ lange Zeit, was aber nicht heißen solle, daß sie unschlüssig gewesen seien. Schon nach etwa einem halben Jahr Bekanntschaft hatten sie den Entschluß gefaßt. Bei einer genetischen Beratungsstelle hatten sie ihre Blutgruppen bestimmen lassen und gesagt bekommen, daß sie gut zueinander passen.

Shen Mei glaubt daran, daß der Erfolg einer Ehe von der Verträglichkeit der jeweiligen Blutgruppen mitbestimmt wird. Ihr Mann kommt außerdem aus einer ganz anderen Region des Landes als sie, was sie für vorteilhaft für das Erbgut des zukünftigen Kindes hält. Sie findet, daß die Beziehung zwischen ihr und ihrem Mann bisher zu jeder Zeit ihre schönen Seiten hatte. Das gelte auch für die Sexualität. Zwar ginge es nicht, weder für sie noch für ihn, darüber zu sprechen, aber ihrer Meinung nach harmonieren sie immer besser. Sie gibt ihm in dieser Frage nach, damit es keinen Streit gibt. Das, was sie tue, tue sie für ihren Mann. Sie selber habe auch gewisse Wünsche und Bedürfnisse, die sie aber für sich behalte. Sie weiß, daß ihr Mann es mag, wenn sie anfängt. Er ist nicht sehr aktiv in der Sexualität, gar nicht eigentlich. Er sagt auch nichts, aber sie spürt, daß er es gut findet, wenn sie anfängt.

Sie haben noch kein Kind, und eigentlich könne sie sagen, daß er wie ein Kind für sie sei, wie ein Spielzeug. Sie amüsiere sich mit ihm wie mit einem Kind. Er kommt ihr auch sehr jung vor. Sie möchte noch nicht schwanger werden und hatte daher auch schon eine Abtreibung. Sie begreift allerdings gar nicht, wieso sie damals schwanger geworden sei, denn sie habe die Pille genommen. Später wird sie noch einmal über ein Kind nachdenken, aber im Moment mag sie ihre Arbeit im Büro. Sie hat mit Akten zu tun, und das gefällt ihr. Ihr Mann ist ein höherer Angestellter, und auch er mag seinen Beruf. Er wolle, sagt sie, daß sie ihm gehorcht, was sie auch tue, weil sie Streit nicht ertragen könne. Streit mache sie traurig. Sie hat häufig traurige Zeiten, besonders wenn sie wegen Kleinigkeiten kritisiert wird.

Einmal sei sie allerdings statt traurig wütend geworden und habe sogar mit Sachen geschmissen. Da habe ihre Mutter sie vor ihrem Mann kritisiert, was sie als unerträglichen Gesichtsverlust empfunden habe. Sie würde gerne lebhafter und fröhlicher sein, sie findet sich zu stumm, zu still, zu leise. Andererseits ist sie aber sehr froh, daß ihr Mann so ruhig ist und nie laut wird. Er tue ihr nichts, auch in der Sexualität nicht, damit sei sie sehr zufrieden. Solange er nicht anfängt, fühle sie sich sicher. Ihre Wunschvorstellung von einem Mann ist er allerdings nicht, denn er ist doch nicht so wie der Mann im Film. Ihr Leben findet sie im Grunde sehr durchschnittlich, überhaupt nicht aufregend, immer dasselbe, recht langweilig.

Sie wüßte gar nicht, wovon sie groß erzählen sollte. Doch nicht von ihren traurigen Zeiten? Die seien auch nicht interessant, außerdem seien Gefühle dazu da, sie zu verstecken. Sie fühle sich gut, wenn sie, wie jetzt, ein wenig über sich spreche. Sie habe noch nie über all das geredet, und sie merke, daß es auch nicht einfach für sie sei, an ihre Kindheit zu denken. Sie erinnere sich eigentlich auch an nichts, außer an die Streitigkeiten zu Hause. Es beunruhigt sie, daß sie so gar nichts weiß von früher, als hätte sie gar nicht gelebt. Oder war alles so normal, daß sie sich nichts merken mußte?

Heute, wenn sie einen gewissen Mann im Fernsehen sprechen hört, dann durchfährt ein Schauer ihren ganzen Körper. Den versucht sie aber gleich zu unterdrücken. Es gibt auch so einen bestimmten Kollegen im Büro, den sie attraktiv findet. Den hat sie ihrem Mann einmal gezeigt, um zu sehen, was er sagt. Er hat gar nichts gesagt. Als verheiratete Frau dürfe sie ja eigentlich gar keinen anderen Mann gut finden, doch sie denke immer an ihn, an seine Augen, an den Ausdruck in seiner Stimme, an das, was er gesagt und wie er es gesagt habe.

Sie zweifelt manchmal, ob sie überhaupt eine normale Ehefrau sei. In der Phantasie habe sie mehrere Männer, so wie moderne Frauen heutzutage. Sie möchte auch eine moderne Frau sein, aber ihr Mann wäre dann sehr böse. Er sagt, er würde sich scheiden lassen, wenn sie ihm nicht gehorcht. Sie sagt, daß sie Angst habe, Angst, daß sie diesen Bürokollegen provozieren könnte, daß er plötzlich aktiv werden, irgend etwas machen könnte und sie ihn dann nicht mehr stoppen können würde. Seit sie verheiratet ist, hat sie mit keinem anderen Mann mehr gesprochen. Sie tut aus Angst vor ihrem Mann nichts Verbotenes und hat auch große Hemmungen anderen Männern gegenüber. Und doch kommt sie sich wie eine schlimme Provokateurin vor. Dabei sollte doch eigentlich der Mann aktiv sein, nicht die Frau. Sie leidet darunter, daß sie solche Gedanken an andere Männer nicht stoppen kann. Es sei ein schwerer innerer Kampf für sie.

Wen Hui

26, Auszubildende

Wen Hui wurde 1965 in eine recht wohlhabende Funktionärsfamilie geboren. Ihr Vater hat immer gut verdient, und die Mutter kümmerte sich, entgegen der damals allgemein üblichen Erwartung, daß Frauen berufstätig sein sollten, zu Hause um die sechs Kinder. Wen Hui ist die Jüngste. Auch sie erinnert sich an viele Streitigkeiten, unter denen sie sehr gelitten hat. Als sie vier oder fünf Jahre alt war, hätten die Eltern sogar einmal gesagt, daß sie sich scheiden lassen wollten und sie, die Jüngste, vor die Frage gestellt, mit wem sie dann würde gehen wollen. Diese Szene ist vor ihrem inneren Auge immer noch sehr lebendig. Sie beginnt während des Erzählens lautlos und mit gesenktem Kopf zu weinen. Nie habe sie ihren Eltern sagen können, wie schrecklich das für sie gewesen sei. Es sei schließlich nicht zu einer Scheidung gekommen, vielmehr sei diese Drohung wohl nur ein Spaß gewesen.

Wen Hui hat mit dreiundzwanzig Jahren geheiratet. Ihre Eltern fanden das viel zu früh und waren nicht einverstanden, aber laut Gesetz habe sie heiraten dürfen. Sie habe sich sehr nach einer harmonischen Beziehung mit einem Mann gesehnt, der sie beschützen und an den sie sich würde anlehnen können. Ihren Mann lernte sie kennen, als er aus irgendeinem Grund bei ihrer Familie zu Gast war. Er machte ihr Komplimente über ihre Kleidung und ließ ihr seine Telefonnummer zurück. Sie fühlte sich verliebt in ihn und genoß seine Aufmerksamkeit und Höflichkeit. Er ist zwei Jahre älter als sie.

In Fragen der Sexualität habe sie im Grunde mehr gewußt als er, denn durch ihre medizinische Ausbildung habe sie über die anatomischen Gegebenheiten und die biologischen Funktionen Bescheid gewußt. Alles weitere allerdings sei auch ihr unklar geblieben, es sei schließlich in China so, daß man vor der Ehe darüber nichts wisse, nicht spreche und auch nicht nachdenke. Sie findet auch nichts Besonderes daran, sondern sieht es als einen normalen biologischen Vorgang an. Als sie ihn heiratete, wußte sie, daß eine Ehe Zeit, vielleicht zwei Jahre, braucht, bis sich Liebe entwickeln kann. Sie hat nicht damit gerechnet, daß alles gleich zu Beginn ideal sein würde.

Aber ihr Mann habe sich nach der Hochzeit sehr verändert. Er sei arrogant und rücksichtslos geworden, und sie habe den Eindruck bekommen, daß er sich eigentlich gar nicht für sie interessiere oder sich um sie kümmere. Diese chauvinistischen Seiten habe sie vorher nicht an ihm bemerkt. Seit einem halben Jahr ist ihr Mann zur Ausbildung im Ausland. Er wird vier Jahre dort bleiben. Ihr gemeinsamer Sohn ist gerade ein Jahr alt geworden. Das sexuelle Interesse ihres Mannes an ihr ist verebbt, worüber sie manchmal nachdenkt, weil es zu Beginn der Ehe noch anders gewesen sei.

Sie lebt mit ihrem Sohn nun wieder bei ihren Eltern, die sie versorgen, aber sich sonst ihr gegenüber reserviert verhalten. Sie vermißt finanzielle Unabhängigkeit, und insofern vermißt sie auch ihren Mann. Ohne ihn kann sie erst recht nichts erleben. Zur Zeit lernt sie etwas

Englisch, weil sie ihren Mann möglicherweise wird im Ausland besuchen können. Sie sei froh, daß ihr Kind ein Junge sei, weil Jungen nicht so verzärtelt seien wie Mädchen. Er schläft mit in ihrem Bett, was ihr doch etwas menschliche Wärme vermittele. Sie hat immer einen Sohn gewollt und auch während der Schwangerschaft nie an eine mögliche Tochter gedacht. Wenn sie eine Tochter hätte, würde sie sich aber sehr bemühen, ihr Selbstbewußtsein nicht so zu untergraben, wie das in ihrer eigenen Kindheit mit ihr geschehen sei.

Ihr Leben erscheine ihr sehr leer, aber sie denke auch nicht darüber nach. Sie habe ihr Leben noch nie zuvor im Zusammenhang betrachtet und spräche nie über sich. Sie verschlucke und verdaue alles alleine, so wie sie eben der Meinung sei, daß jeder für sich alleine mit allem fertig werden müsse. Sie ist häufig, wie sie findet grundlos, niedergeschlagen und meint, daß das eine biologische Ursache haben wird.

Körper, Liebe, Sexualität

»Ich erinnere mich nicht,
daß ich jemals von meinen Eltern
angefaßt worden wäre.« *Wang Ming*

Körperliche Nähe ist in China unvermeidlich und insofern selbstverständlich. Viele Eltern schlafen mit ihren Kindern in einem Raum, wenn nicht in einem Bett. Wenn möglich wird nach Geschlechtern getrennt, nicht nach Generationen, so daß der Vater mit dem Sohn ein Zimmer teilt, die Mutter mit der Tochter. Es gibt keine private Sphäre, für sich sein zu wollen ist schwierig zu realisieren. Vielleicht verliert in dieser Enge des Zusammenlebens körperliche Nähe viel von ihren für uns positiven Konnotationen.

Doch maßgeblich für das Berührungstabu zwischen Eltern und Kindern, das meist im Alter von etwa drei Jahren, spätestens aber mit Eintritt in die Schule strikt eingehalten wird, ist die Tradition des Umgangs mit Gefühlen und mit Sexualität. Chinesischen Kindern wird Zuneigung und Trost nicht über körperlichen Kontakt und körperliche Gesten vermittelt, weil es dem Ziel der kontrollierten Emotionen entgegenwirkt. Viele der Frauen, die ich sprach, wuchsen seit ihrem zweiten oder dritten Lebensjahr fern von zu Hause in einem Wochenkindergarten auf, wo körperlicher Trost bei Heimweh oder Schmerz konsequent verweigert wurde, um die Kinder nicht zu ›verzärteln‹ und nicht noch weiter in diese ›Fehlentwicklung‹ – daß sie ihre Gefühle zeigen und äußern – zu treiben.

Manchmal schien es mir, als würden Eltern ihre Kinder so weit wegschicken, damit sie gar nicht erst in Versuchung geraten, ihren Impulsen nachzugeben. Viele Mütter waren der Meinung, daß kleine Kinder Körperkontakt brauchen und wünschen, daß er aber für ihre Erziehung schädlich sei. Sie betrachten es als ihre mütterliche Pflicht, das Kind abzuhärten und vom Gefühlsausdruck abzuhalten.

Alle chinesischen Frauen, die ich sprach, erzählten, daß es zu Hause keine tröstlichen Berührungen und Umarmungen von den Eltern gegeben hätte, und die meisten bestätigten, daß sie es mit ihren eigenen Kindern genauso halten würden, wobei Weinen bei Töchtern noch eher toleriert werden kann als bei Söhnen. Für uns irritierend ist die als adäquate Bescheidenheit geltende Gewohnheit chinesischer Eltern, die eigenen Kinder in deren Gegenwart abzuqualifizieren. Auch das soll dazu dienen, den Kindern den Un-Wert eigenen Denkens und Fühlens rechtzeitig beizubringen.

Auf der anderen Seite werden kleine Kinder bis drei Jahre in China viel getragen. Sie werden nicht animiert, in freiem Spiel und in freier Bewegung ihre Umgebung zu erkunden und ihre Körperkräfte zu erproben. Es ist nicht üblich, Krabbelkinder krabbeln zu lassen; man nimmt sie auf den Arm, und sie gelten als artig und süß, wenn sie still auf einem Platz sitzenbleiben. Das Tragen erscheint weniger als tröstlicher Halt bei Erschöpfung als als Bewegungskontrolle. Großmütter, die häufig mit der Beaufsichtigung kleiner Kinder betraut werden, zumal wenn sie noch verkrüppelte Füße haben, könnten einem krabbelnden Kind auch nur unter Schwierigkeiten folgen.

Während unserer Gespräche saßen die Frauen

meist ganz still. Auch bei starker innerer Beteiligung, bei schmerzhaften Erinnerungen und wenn sie weinen mußten, bewegte sich der Körper kaum, als bräuchten sie ihn gar nicht als Resonanzkörper und Halt; als gehörte der Körper nicht zu ihnen, mehr wie ein wohlerzogener Anderer. Die körperferne Erziehung macht es ihnen vermutlich sehr schwer, ihren Körper als zu ihrem Selbst gehörig zu empfinden. Im Lunyu, den ›Gesammelten Werken des Konfuzius‹, heißt es: ›Erst wenn es drei Jahre alt ist, kann ein Kind den Arm von Vater und Mutter entbehren.« Damit hat Konfuzius die Anzahl der Trauerjahre für die verstorbenen Eltern begründet: das Kind gibt den Eltern die Jahre zurück, in denen es ihren ›Arm nicht entbehren‹ konnte.

Die nach außen affektlose Beziehung der Eltern ist Resultat des Gebotes, keine Gefühlsregungen zu zeigen. Der ruhiggestellte und kontrollierte Körper ist dazu unabdingbar. Die Qualität der elterlichen Ehe wird an anderen Maßstäben gemessen, wenn verbaler oder körperlicher Gefühlsausdruck dafür nicht in Frage kommt, nämlich an der ›Harmonie‹, die wiederum an der Ab- oder Anwesenheit von mehr oder weniger lauten Streitigkeiten abgelesen wird. Affekt kommt hier in negativer Form doch zum Ausdruck.

Der traditionell geforderte weibliche Gehorsam wird seinen Teil zur Harmonie beizutragen haben, wie in mehreren Gesprächen deutlich zum Ausdruck kam. Es drängte sich mir auch der Eindruck auf, daß die als ›gute Beziehung‹ beschworene Harmonie der Temperamente in der Ehe, die angestrebte Wesensgleichheit von Mann und Frau, das untergründig weiterlebende Bemühen repräsentiert, beunruhigende, weil sexuelle Spannung implizierende, Geschlechterdifferenz zu leugnen. Das

Scheitern der angestrebten Harmonie in fast allen Fällen, auch der elterlichen Ehen, zeigt erbarmungslos die bittere Wahrheit: es gibt die Geschlechterdifferenz, und womöglich gehört sie unausweichlich zum Leben.

Aktive Zuneigungsbeweise knüpfen in China vorrangig an orale Freuden an: Der beste Happen wird abgetreten. Das erinnert mich an eine Witzzeichnung über die chinesische Vorstellung vom Paradies: Alle sitzen im Kreis und füttern sich gegenseitig – diagonal den Kreis durchquerend – mit überlangen Stäbchen. In der Hölle dagegen muß jeder mit diesen Stäbchen selber essen, was sogar die chinesischen Möglichkeiten körperbeherrschender Akrobatik übersteigt. Als ich eine Mutter, die im Laufe des Gesprächs die konsequente Erziehung ihres fünfjährigen Sohnes zur Selbständigkeit schilderte, fragte, woran ihr Sohn ihrer Meinung nach merke, daß sie ihn liebt, antwortete sie, er merke es daran, daß sie ihn füttert.

Mir fiel dabei ein, daß das selbständige Essen mit Stäbchen auch eine recht lange Lehrzeit braucht und hierbei, beim Füttern mit Stäbchen, Nähe in der Distanz lange eingeübt werden kann. Keine Frau erinnerte sich an etwaige Neugier in bezug auf die elterliche Sexualität. Es gab bewußt kein Fragen, kein Wundern, keine Anspielung. Die von uns als universell angenommene kindliche Neugier in Körperfragen mündet in China wohl sehr schnell in ein verinnerlichtes Wahrnehmungsverbot. Zhang Yimin fand es ja als Kind schon sehr befremdlich, daß ihre Stiefmutter ihrem Vater einmal beim Duschen zuschaute, obgleich er dabei ›doch ganz nackt‹ sein mußte.

»Es war nicht üblich,
daß Jungen und Mädchen
zusammen spielten.
Jungen waren auch schlecht
und unmoralisch.« *Shu Lin*

In allen Familien hieß es, daß Jungen schlecht seien. Sie repräsentierten offenbar das Unbeherrschbare und Unkontrollierbare. Die Dämonisierung des männlichen Geschlechts ist Teil der Mädchenerziehung und nützlich für die Durchsetzung der sozialen Kontaktsperre. Die Geschlechtersegregation ist traditionell üblich gewesen in China und heute, wo Koedukation sich durchgesetzt hat, werden moralische Warnungen an ihre Stelle gesetzt. Jungen sind gefährlich wegen ihrer Verführungskraft. Zhang Yimin war die einzige, die in der Kindheit mit Jungen spielen konnte, weil sie recht verwahrlost aufgewachsen ist und niemand angemessen auf sie achtete, aber sogleich fand sie Jungen als Spielpartner viel interessanter, unkomplizierter und direkter. Heute empfindet sie ihren eigenen Hauptkonflikt in der Tatsache, daß sie nach außen hin so selbständig und frei wirkt, aber innerlich ein großes Anlehnungsbedürfnis hat, das ihr so recht keiner abnimmt.

Bei ihr ist chinesische Mädchenerziehung nicht gänzlich gelungen: Sie müßte auch nach außen anlehnungsbedürftig und unselbständig erscheinen. Es ist nicht immer so, daß chinesische Eltern Söhne bevorzugen. Viele sagen, sie mögen Töchter, weil sie leichter zu erziehen seien, weil sie im Haushalt helfen, weil sie kontrollierbar seien, still, brav, zurückhaltend. Einige Sohnesmütter bedauerten, daß sie ihre Lebenserfahrungen gar nicht weitergeben könnten, denn Söhne hörten nicht darauf, hätten ihren eigenen Kopf, müßten unabhängig gemacht werden, lebenstüchtig, wären frech. Ein Vater fragte mich einmal um ›psychologischen Rat‹, ab wann er seinen Sohn schlagen könne, er habe es demnächst dringend nötig. Einen anderen Vater fragte ich, ob er sein Kind schlüge und er sagte lachend: »Nein, nein!« – ich war erleichtert – »Das macht meine Frau!«

Strafen gibt es für Gehorsamsverweigerung, aber in meinen Gesprächen mit Frauen wurde nicht viel über Prügel in der Kindheit berichtetet. Die schlimmste Strafe war sowieso nicht das Geschlagenwerden, sondern das Weggeschicktwerden, Ignoriert- und Isoliertwerden. Beschimpfungen waren üblicher als Schläge, als würde auch die körperliche Strafe unter das Berührungstabu fallen.

»Ich verstand überhaupt nicht,
wieso mir da auf einmal zwei solche
Klumpen wuchsen.« *Li Shimei*

Für eine Gesellschaft wie die chinesische, die für ihren unerschütterten Fortbestand sehr auf den kollektiven Gleichklang im Erleben und auf ideologische Einigkeit baut, muß so etwas wie Adoleszenz etwas besonders Schreckliches und Erschreckendes sein. Als ein Beispiel einer von Lévi-Strauss sogenannten ›kalten Kultur‹, die sich durch ihr Traditionsbewußtsein und ihre Stabilität auszeichnet, bekämpft die chinesische Gesellschaft das der Adoleszenz innewohnende Entwicklungspotential. Die u. a. von Erdheim beschriebenen notwendigen psychischen Reifungsschritte in der Jugend, das Annehmenlernen des eigenen und des anderen Körpers zusammen mit der Integration sexueller, zärtlicher und aggressiver Strebungen werden in China durch Tradition, Moralverständnis und politisch motiviertes Kontrollbedürfnis extrem erschwert.

Daß das Staatswesen geneigt ist, auf dagegen protestierende Jugendliche mit gewaltsamer Repression zu antworten, wurde vor einigen Jahren mit den Schüssen auf eine ganze Studentengeneration unterstrichen. In politischen Kommentaren der chinesischen Presse, die die Demonstrationen für Demokratie und Liberalisierung verurteilten, wurde den studentischen Demonstranten unterstellt, sei seien durch die verbotene Lektüre von Freud und Sartre beeinflußt und fürs sozialistische Wertemodell verdorben worden. Das staatsfeindlich Subversive an individualistischen, von Freud so genannten ›direkten Sexualstrebungen‹, die ›der Massenbildung ungünstig‹ seien, haben die chinesischen Oberen längst erkennen und fürchten gelernt. Sie setzen nach wie vor auf das Schamgefühl, auf den Gesichtsverlust für diejenigen, die sich der Norm der Masse entgegenstellen.

Dieses Schamgefühl findet sich in den leugnenden und verdrängenden Reaktionen der heranwachsenden Mädchen auf die körperlichen Veränderungen während der Pubertät. In der Familie erleben die Frauen das Heranwachsen als ein sprachloses Hinnehmen des Unerklärten, aber offenbar Unvermeidbaren; ihr Körper veränderte sich, und sie wußten, daß sie ihn von nun an noch gründlicher würden verstecken müssen. Eine einzige Peinlichkeit sei das Erwachsenwerden gewesen, sagte Shu Lin.

Die Menstruation, diese ›mysteriöse Krankheit, die offenbar nur Mädchen befiel‹, wurde teils sehr erschrocken, immer aber zusammenhanglos zur Kenntnis genommen. Was bedeutete das? Wozu war es gut? Es gab weder Fragen noch Antworten; die Mütter halfen mit technischen Anweisungen aus, und sozialer Rückzug bestimmte jene Tage.

Aufwendiger war das notwendige Kaschieren der weiblichen Körperform. Die Rigorosität, mit der der wachsende Busen im Wortsinne plattgemacht werden mußte, erinnert an das frühere Füßebinden: Eine kompromißlose Repression gegen einen Körperteil, der etwas Anderes, Unaussprechliches, repräsentiert. Mütter und Töchter waren sich in dieser Notwendigkeit deutlich einig, da gab es keinen adoleszenten Protest gegen elterliche Vorstellungen. Das strenge Plattbinden richtet sich vermutlich einerseits gegen die Brüste als Symbol verführerischer Weiblichkeit, also lockender Sexualität; aber andererseits auch gegen die Nähe der Assoziation von Mütterlichkeit. Bekanntlich ist es eine der schwierigen innerpsychischen Leistungen in der Adoleszenz, ein Gleichgewicht zwischen Regressionswünschen und Genitalität zu finden und beides in der erwachsenen Sexualität zu integrieren. Offenbar gilt der weibliche Busen als zu direktes Symbol dieser gefährlich-verführerischen Zweigleisigkeit, das schwer erträgliche Ambivalenzen weckt.

Was wollten wir selbst als junge Mädchen denn damals damit ausdrücken, als wir uns mit dreizehn, vierzehn die ersten schaumstoffgepolsterten BHs kauften? Daß wir keine kleinen Mädchen mehr waren; daß wir dabei waren, erwachsene Frauen zu werden; daß wir uns – wenn auch kaum zugegebenermaßen – für Jungen interessierten und von ihnen als sexuelle Wesen wahrgenommen werden wollten. Kann es sein, daß der chinesische Umgang mit dem Busen ganz einfach all das leugnen und abwehren will? Schließlich gelten Frauen bis zur

Ehe noch als ›haizi‹, als Kinder; schließlich sollen sie bis zur Ehe nicht als sexuelle Wesen wahrgenommen werden, und schließlich sollen sie nicht lernen, sich selber so wahrzunehmen. Wie heißt es, kritisch gemeint, in einem kürzlich erschienenen chinesischen Artikel über die Folgen der Vergewaltigung bei chinesischen Frauen: »... und der Körper einer Frau gehört dem Mann.« Die Enteignung des Körpers ist sowohl Erziehungsmittel als auch Erziehungsziel.

»Dabei war es mit dem Verlieben
schon schwierig genug.
Man durfte ja eigentlich gar nicht
an so etwas denken.« *Li Shimei*

Wie verliebt man sich, wenn man seine Gefühle nicht zeigen darf, wenn man mit Jungen nichts zu tun haben darf, weil sie schlecht sind, und wenn man seinen Körper nicht wahrnehmen darf und ihn verstecken muß? Ein akzeptabler Ausweg ist, sich gar nicht erst solchen Gefühlsstürmen auszusetzen, und etliche Frauen haben ihn gewählt. Wenn man die schwierigen familiären und sozialen Konflikte bedenkt, die eine verliebte junge Frau innerpsychisch bewältigen muß, ist die Vermeidungshaltung mehr als verständlich. Liebe wird ein Luxus für eine kräftige Seele.

In China ist es nicht einfach, adoleszente Schwärmereien und erste Lieben in ein gefordertes normgerechtes Gefühlsleben zu übersetzen und zu integrieren, wobei nichts von all dem nach außen dringen darf. Eine Frau begann in dieser Zeit, Tagebuch zu schreiben; eine andere hielt sich bewußt vom Mann ihrer Träume fern, und eine dritte träumte vom Mann im Fernsehen. Das jeweilige Bemühen, körperliche und innerliche Distanz zu bewahren, ist ähnlich. Die Öffentlichkeit mischte sich immer ein, und jedenfalls in der Jugend dieser Frauen waren die politischen die sichereren Maßstäbe. Gleichzeitig waren sich einige der Frauen ihrer Sehnsucht deutlich bewußt und mußten sich die Erfüllung ihrer noch so zaghaften Wünsche versagen. »Wir standen nebeneinander am Fenster und schauten dem Gewitter zu«, berichtete eine zweiundfünfzigjährige Frau, »unsere Hände waren kaum einen Zentimeter voneinander entfernt. Aber wir berührten uns nicht.«

Immer wieder haben sich in den Lebensgeschichten die Konvention und die Angst vor ihrem Bruch gegen den Wunsch nach zärtlicher Berührung durchsetzen können. Heute, wo sich die Zeiten etwas ändern und vieles möglich ist, von dem die Frauen damals buchstäblich nicht zu träumen wagten, haben einige zusätzlich noch mit starken Reuegefühlen zu kämpfen. Die ehemalige Unmöglichkeit, den eigenen Wünschen und Bedürfnissen gemäß zu fühlen oder zu handeln, wird zu einer Reihe verpaßter Gelegenheiten. Die wenigen Male, wo ein Liebesgefühl auch körperlich hätte ausgedrückt werden können, sind ungenutzt vergangen, und werden womöglich die einzigen bleiben.

Es scheint auch ein Einvernehmen bezüglich einer deutlichen geschlechtsspezifischen Rollenteilung zu geben, hinter dem man auch einen Projektionsmechanismus vermuten kann: Den Männern wird von vielen der Frauen unterstellt, daß sie nach Sexualität drängen, und manchmal muß frau nachgeben, um sie nicht ganz zu verprellen. Bei sich selbst vermuten sie eher ein Bedürfnis nach körperlicher Nähe ohne Sexualität, nach Schutz und Verständnis. Eigene sexuelle Bedürfnisse wurden von den meisten geleugnet und ausschließlich beim Mann angesiedelt, der dafür gescholten und gefürchtet wird.

Auch chinesische Frauen finden eben die für Frauen in patriarchalen Gesellschaften typische Zwickmühle vor: einerseits müssen sie verführerisch, bzw. ›willig‹ genug sein, um das männliche Interesse zu wecken und zu erhalten; andererseits riskieren sie damit gerade das, was ihre gesellschaftliche Rolle und ihren persönlichen Charakter möglichst prägen soll, die Bewahrung der öffentlichen und ihrer individuellen Moral. Die Lösung dieses Konfliktes, allerdings eine sehr unsichere und riskante, wie die oftmals damit verbundenen großen Schuldgefühle zeigen, liegt in der erwähnten Projektion der ›Unmoral‹ auf den Mann und der Leugnung der eigenen Verantwortlichkeit und Bedürftigkeit. Beinahe jede Frau beteuerte, nur wegen des Drängens des Mannes die Sexualität zu Beginn der Beziehung zugelassen zu haben.

»Mit sechsundzwanzig war ich
schon recht alt und konnte nicht mehr
so wählerisch sein.« *Shu Lin*

Es gibt für chinesische Frauen einen weiteren schwierigen Widerspruch zu lösen. Für die offizielle Heiratspolitik der ›späten Ehe‹ ist eine Frau mit fünfundzwanzig oder sechsundzwanzig gerade erst im richtigen Heiratsalter; sie selbst fühlt sich dann aber schon wie ›überreifes Obst‹. Nur die selbstbewußteren unter den jungen Chinesinnen leisten sich heute den Luxus längerer Suche und leiden unter der eingeschränkten Auswahl eventuell akzeptabler Männer. Viele von ihnen streben ins Ausland, womöglich zu einem ausländischen Mann, wie eine fünfundzwanzigjährige Psychologiestudentin, die in ihrem eigenen Land keine Perspektive für sich sah, weder beruflich noch persönlich. Die allermeisten chinesischen Ehen kommen durch die gezielte Mithilfe von Dritten zustande; es ist ein übliches Verfahren, einer heiratswilligen Person für passend gehaltene Partner vorzuschlagen.

Das ist eine Zwischenstufe zwischen dem alten zwangsweisen Verkuppeln nach elterlichem Gutdünken und dem von modernen Chinesinnen heutzutage angestrebten ›freien Verlieben‹. Die Eheentscheidung muß in China auf der Grundlage einiger weniger Daten getroffen werden, es gibt keine längere Verlobungszeit, um möglicherweise die gegenseitige Verträglichkeit zu erproben. Der Ratschlag eines Dritten ist da willkommen. Will frau auch auf den verzichten, bleibt ihr nur das waghalsige Vertrauen in die Zuverlässigkeit einiger äußerer Merkmale: Vielen ist die Körpergröße wichtig, die Stärke und Schutz verspricht und womöglich auch innere Größe; eine gute Bildung oder Ausbildung kann die Hoffnung auf sozialen Aufstieg, auf finanzielle Sicherheit bedeuten, aber auch geistigen Austausch und einen Zuwachs an Wissen; ein ordentlicher, politisch akzeptabler Arbeiter ist wichtig für sozialen Status und Zukunftssicherung angesichts politischer Unwägbarkeiten. Diese Kriterien decken sich generationsübergreifend mit denen der Eltern.

Zuviel Gefühl in der Eheangelegenheit erwies sich in allen Fällen als hohes Risiko für das psychische Gleichgewicht. Die Krise deutete sich durch das Mißtrauen und die Abwehr der Eltern oder der politisch Maßgebenden an. Eine Liebesheirat, zumal im Verein mit gegenseitiger sexueller Attraktion, droht, in den Augen der alten Generation, mit ihrer egozentrisch erscheinenden Exklusivität und Unbeeinflußbarkeit die Wertepyramide der Gemeinschaft zu erschüttern. Aber noch kann die Gemeinschaft sich anscheinend in Ruhe wiegen, denn daß die Eltern die eheliche Verbindung der Tochter einvernehmlich gutheißen, ist nach wie vor eins der wichtigsten Kriterien bei der Eheanbahnung. Und sehr viele unglückliche Ehen werden deswegen aufrechterhalten, um nicht noch im Nachhinein den elterlichen Rat abzuwerten.

Daß dieses System der Partnersuche nach Augenschein und gutem Rat von traditionsbewußten Dritten für sich wandelnde Zeiten und sich bewußter werdende Frauen nicht besonders zukunftsträchtig ist, zeigen die rasant steigenden Scheidungszahlen in China und die Tatsache, daß 70 Prozent der Scheidungsbegehren von Frauen gestellt werden. 86 Prozent davon sind Intellektuelle, denn mit wachsendem Wissen wachsen auch die wahrgenommenen Widersprüche und Konflikte, aber offenbar auch die Bereitschaft, sie radikal zu lösen. Diese Zahlenverhältnisse habe ich in meinen Gesprächen mit chinesischen Frauen wiedergefunden. Über die Hälfte der Frauen war unzufrieden mit der Ehe und dachte mehr oder weniger konkret an Scheidung. Scheidung ist heute etwas weniger stigmatisierend als noch vor einigen Jahren, aber ledig geblieben zu sein, zählt nach wie vor als eine persönliche Niederlage. Über homosexuelle Beziehungen chinesischer Frauen wissen wir noch gar nichts.

Natürlich kommt es uns abenteuerlich vor, einen

beinahe Unbekannten heiraten zu sollen, mit dem dann der erste körperliche Kontakt, der zugleich auch ein sexueller ist, seit der frühen Kindheit stattfinden soll. Und in aller Regel, jedenfalls angeblich, ohne Wissen und Kenntnis der bevorstehenden Vorgänge. Aber gerade deswegen ist es vielleicht vernünftig, dieser Verbindung mit einem noch relativ Fremden nicht allzu viele romantische Hoffnungen entgegenzubringen, sondern zunächst den Wert der Ehe an ihrem sozialen Vorteil zu messen. Alles, was im gesellschaftlichen Leben in China erstrebenswert und wertvoll erscheint, läßt sich nur durch eine Heirat erreichen: Sie ist Ausdruck der bruchlosen Generationenfolge und der traditionellen Wertschätzung für die Eltern, sie ist Vorbedingung für die Nachkommenschaft, sie ist Gewähr für Wohnung, Status, Sicherheit, für zeitgemäße Bequemlichkeit und ermöglicht im besten Falle den sozialen Aufstieg.

Ein Mann, der heute über Heiratsannoncen eine Partnerin sucht, preist sich möglichst in über 170 cm Körpergröße an, als gut verdienender Sohn bereits verstorbener Eltern, denen die Schwiegertochter dann nicht mehr ausgeliefert ist, und die das junge Paar nicht mit der Altersversorgung wirtschaftlich belasten, und mit Wohnung. Ideelle Werte wie Ehre und Moral der Frau werden durch die Heirat ebenfalls geschützt, was erst das Erleben von Sexualität ohne Schuldgefühle ermöglicht. Die bis zu ernsten Selbstmordgedanken führende Verzweiflung von Shu Lin, als der Verlobte das Eheversprechen brach, obgleich sie schon mit ihm geschlafen hatte, zeigt, wie stark das weibliche Selbstwertgefühl mit dem Gefühl moralischer Integrität verknüpft ist. Auch heute noch ist es in vielen Regionen Chinas ein übliches Verfahren, eine durch Vergewaltigung moralisch und wirtschaftlich ›entwertete‹ Frau dadurch zu rehabilitieren, daß man sie mit dem Vergewaltiger verheiratet, obgleich auf das Verbrechen der Vergewaltigung nach dem Gesetz Todesstrafe steht – für den Mann.

Nicht erst seit heute hegen chinesische Frauen den jede gesellschaftliche Norm sprengenden Wunsch nach individuellen Ausdrucks- und Erlebnismöglichkeiten von Glück, Liebe und Zuneigung. In der von jeher im weltweiten Vergleich sehr hohen Selbstmordrate chinesischer Frauen sollte man nicht nur eine Reaktion auf ihr als unerträglich empfundenes Leiden sehen, sondern auch einen Ausdruck ihres Widerstandsgeistes und ihrer inneren Protesthaltung; schließlich war ein häufiges Suizidmotiv der Wunsch, einer von den Eltern erzwungenen Heirat auszuweichen. Mao Tse-tung hatte dies in seinem 1919 geschriebenen Artikel über den ›Selbstmord des Fräulein Chao‹ zu einem zentralen Thema seiner Sozialkritik gemacht. Ehe- und Familienprobleme sind auch heute noch die Hauptursachen für Selbstmord und Selbstmordversuche von chinesischen Frauen, die den psychischen Konflikt zwischen traditionellen Wertemustern und individuellem Glücksstreben nicht mehr tragen können.

»Wenn ich bedenke,
daß ich niemals mehr Leidenschaft
und Liebe erleben werde,
verzweifle ich.« *Li Shimei*

In über einem Drittel der Scheidungsfälle wird ›unharmonischer Geschlechtsverkehr‹ als Begründung angegeben, in einem weiteren Viertel wird wegen ›außerehelicher Sexualbeziehungen‹ geschieden. Das ist für China deshalb bemerkenswert, weil auf diese Weise, durch Scheidungsbegründungen, etwas an die Öffentlichkeit getragen wird, was sonst nie Thema sein darf. Ein Problem wird dadurch sichtbar. Es wird auch sichtbar, daß chinesische Frauen, die zu 70 Prozent die Antragstellerinnen sind, jedenfalls inzwischen wissen, was sie nicht wollen und auf Veränderung hinarbeiten.

In meinen Gesprächen mit chinesischen Frauen hat sich das recht deutlich bestätigt. Eine schlechte Ehe wurde eine schlechte Ehe genannt, und da war kein Bemühen, sie als besser und harmonischer darzustellen, als sie ist. Die Mehrzahl der Frauen war, aus verschiedenen Gründen, unzufrieden mit der ehelichen Sexualität: Manche lebten auf eigenen Wunsch abstinent, weil ihnen das erträglicher schien als ein gefürchteter rücksichtsloser Geschlechtsakt; andere fühlten sich zu müde und lustlos, um das eheliche Liebesleben zu aktivieren; wieder andere waren betroffen von der sexuellen Passivität, Interesselosigkeit oder Infantilität des Mannes. Wenige erlebten Lust in der Sexualität, und nur eine der Frauen, die ich sprach, kannte aufgrund ihrer Erfahrungen mit Selbstbefriedigung das Gefühl des Orgasmus, was sie in der Sexualität mit ihrem Mann vermißte.

Beinahe alle Frauen, die ich in diesem Zusammenhang kennenlernte, waren müde. Jahrelange chronische Erschöpfung, Mattigkeit und Lustlosigkeit prägen ihren auch jenseits aller sexuellen Probleme anstrengenden Alltag. Ein Gutteil dieser häufig beklagten Erschöpfung kommt sicher von der stets abverlangten Verleugnungsleistung. Sie wünschen und fühlen etwas, was sie nicht wünschen und fühlen sollen, und was ihnen in der Wirklichkeit nicht nur nicht weiterhilft, sondern ihre Konflikte verschärft. Im Moment wird durch Bewußtsein das Leiden schmerzhafter. Zwischen den gesellschaftlichen und politischen Maßstäben für Moral und Prüderie und dem individuellen Empfinden und Leidensdruck scheint eine solche Diskrepanz zu herrschen, daß viele der Frauen sich zweiteilen müssen; sie gehorchen nach außen hin der gesellschaftlichen Konvention, und setzen sich in ihrem Gefühlsleben schrittweise über sie hinweg.

Es war wohltuend zu bemerken, daß ihnen immerhin die unumwundene Äußerung ihrer Unzufriedenheit möglich war. Es scheint mir, als beugten sie sich gerade noch pro forma dem Wertemodell des gesellschaftlichen Über-Ichs, bis sie die Möglichkeit sehen, ihrem eigenen moralischen Gewissen zu folgen.

»Ich weiß nicht viel von Sexualität,
das gebe ich gerne zu,
aber wenn ich mit meinem Mann
solche Filme angucken muß,
dann sind die in einer fremden Sprache,
und man versteht erst recht nichts.
Ich sehe, was die da machen und denke,
das kann doch gar nicht funktionieren.
Die machen einem doch was vor.«
Wang Ming

Der illegale Import von pornographischen Zeitschriften und Filmen ist ein gutes Schwarzmarktgeschäft in China. Pornographie deckt teilweise den Bedarf an Aufklärungsliteratur, beeindruckt die jahrzehntelang zwangs-naiven Chinesen und Chinesinnen durch ungewohnte Direktheit der Anschauung, und setzt die Frauen unter Leistungsdruck.

Die Schwierigkeiten, dem geforderten Zeitungsmodell zu entsprechen, belastet die damit konfrontierten ehelichen Beziehungen auf eine neue Weise. Pornographisch angeregte Männer fordern von ihren Frauen weiterhin Gehorsam, das gleiche, was ihnen seit Jahrhunderten abgefordert wurde. Wieder sollen sie einem Ideal entsprechen, das mit ihren eigenen Wünschen nichts zu tun hat. Besonders schwierig wird das nun, weil viele Frauen ihre eigenen Bedürfnisse inzwischen kennen und die körperliche oder seelische Vergewaltigung als solche empfinden und bezeichnen können.

Aber Pornographie gilt als modern und Permissivität als sexuelle Befreiung nach ausländischem Vorbild. Die Angst und die Ansicht, daß wir westlichen Frauen uns in der Sexualität selbstverständlich so benehmen, wie pornographische Bilder es zeigen, herrschte bei vielen jüngeren Chinesinnen. Die ihnen abgeforderte Nachahmung ist ein erschöpfender und erneut entfremdender Auftrag. Und so scheint es, als seien nunmehr wir für sie ohne unser Wissen oder gar Wollen, und ohne daß chinesische Frauen die Möglichkeit der Realitätsprüfung hätten, zu einem ›Modell‹ geworden wie seinerzeit sie als Hälfte des Himmels für uns.

Zeittafel

1911 Sturz der Mandschu-Dynastie; Gründung der Republik China
1921 Gründung der Kommunistischen Partei Chinas u. a. durch Mao Tse-tung
1949 Nach Krieg und Bürgerkrieg wird am 1. Oktober die Volksrepublik China gegründet
1951 Kampagne zur ›Unterdrückung der Konterrevolutionäre‹ beginnt
1955 Kampagne zur ›Entlarvung heimlicher Konterrevolutionäre‹
1956 Kampagne ›Laßt hundert Blumen blühen‹
1957 Kampagne gegen Rechtsabweichler
1958 Der ›Große Sprung nach vorn‹; Gründung der Volkskommunen
1959–1961 Hungersnot
1959 Kampagne gegen ›rechtsabweichlerische Opportunisten‹
1966 Beginn der ›Großen Proletarischen Kulturrevolution‹
1976 Kampagne zur Kritik an Lin Biao und Konfuzius; Tod Mao Tse-tungs; Verhaftung der ›Viererbande‹ um Maos Witwe Tschiang Tsching; offizielle Beendigung der Kulturrevolution
1981 Kampagne gegen ›Bürgerlichen Liberalismus‹
1984 Kampagne gegen ›Geistige Verschmutzung‹
1989 Gewaltsame Niederschlagung der Protestdemonstrationen für mehr Demokratie

Literatur

Jung Chang: Wilde Schwäne. Die Geschichte einer Familie. Drei Frauen in China von der Kaiserzeit bis heute. München 1991 (Droemer Knaur)

Nien Cheng: Leben und Tod in Schanghai. Berlin 1991 (Ullstein)

Mario Erdheim: Die gesellschaftliche Produktion von Unbewußtheit. Eine Einführung in den ethnopsychoanalytischen Prozeß. Frankfurt 1984 (Suhrkamp)

Ute Fricker: Schein und Wirklichkeit. Zur altchinesischen Frauenideologie aus männlicher und weiblicher Sicht im geschichtlichen Wandel. Hamburg 1988 (Gesellschaft für Natur- und Völkerkunde)

R. H. Van Gulik: Sexual Life in Ancient China. A Preliminary Survey of Chinese Sex and Society from ca. 1500 B. C. till 1644 A. D.. Leiden 1961 (Brill)

Howard S. Levy: Chinese Footbinding. The History of a Curious Erotic Custom. London 1966 (Neville Spearman)

Fang Fu Ruan: Sex in China. Studies in Sexology in Chinese Culture. New York 1991 (Plenum Press)

Andrea Dworkins neuer Roman ›Erbarmen‹ geht in elf Erzähl-Reflexionen der Frage nach, wie man das Monströse, das Unbeschreibliche, das Grauen von Vergewaltigung so beschreiben kann, daß es begriffen wird – von allen.

»Die amerikanische Schriftstellerin bleibt ihren zwei Obsessionen treu: dem Schreiben überhaupt und als zweites dem Schreiben über immer wieder dasselbe. Darin ist sie, ein weiblicher de Sade, durchaus dem › göttlichen Marquis‹ vergleichbar.« *Katharina Rutschky, taz*

»›Erbarmen‹ ist ein überwältigendes Buch, das die Abwehrreflexe der LeserInnen hervorruft und bitteren Trost dabei spendet.« *Brigitte Burmeister, Wochenpost*

Andrea Dworkin

Erbarmen

Roman

KleinVerlag

Aus dem Amerikanischen von
Christel Dormagen
gebunden
ISBN 3-922930-06-9